SIOSTRZENIEC CZARODZIEJA

OPOWIEŚCI z NARNII

LEW, CZAROWNICA I STARA SZAFA

*

KSIĄŻĘ KASPIAN

*

PODRÓŻ „WĘDROWCA DO ŚWITU”

*

SREBRNE KRZESŁO

*

KOŃ I JEGO CHŁOPIEC

*

SIOSTRZENIEC CZARODZIEJA

*

OSTATNIA BITWA

C.S. LEWIS

OPOWIEŚCI z NARNII

SIOSTRZENIEC CZARODZIEJA

Ilustrowała Pauline Baynes

*

Przełożył Andrzej Polkowski

MEDIA RODZINA

Tytuł oryginału
THE MAGICIAN'S NEPHEW

www.narnia.com

ISBN 978-83-7278-185-7

Przekład poprawiony

Media Rodzina Sp. z o.o.
ul. Pasieka 24, 61-657 Poznań
tel. 61 827 08 60, faks 61 827 08 66
mediarodzina@mediarodzina.pl
www.mediarodzina.pl

Łamanie komputerowe
perfekt, ul. Grunwaldzka 72, 60-311 Poznań, tel. 61 867 12 67
e-mail: dtp@perfekt.pl, http://dtp.perfekt.pl

Druk i oprawa
ABEDIK S.A.

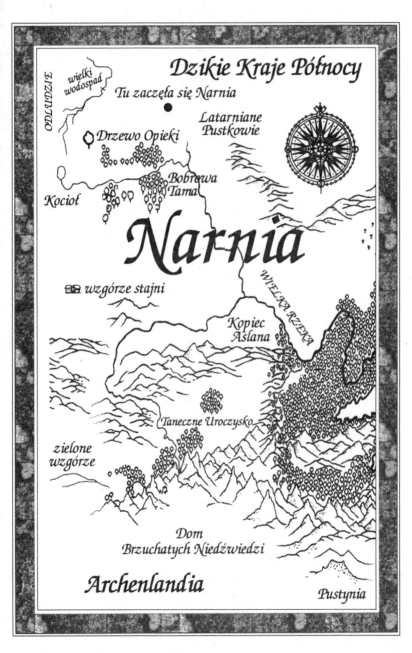

RODZINIE KILMERÓW

ROZDZIAŁ 1

Złe drzwi

To, o czym wam opowiem w tej książce, zdarzyło się dawno temu, kiedy wasz dziadek był jeszcze dzieckiem. Jest to bardzo ważna historia, ponieważ znajdziecie tu wyjaśnienie, w jaki sposób zaczęły się wszystkie przejścia z naszego świata do Narnii. W owym czasie Sherlock Holmes mieszkał wciąż na Baker Street, a Bastable'owie poszukiwali skarbu na Lewisham Road. Każdy chłopiec musiał codziennie nosić sztywny kołnierzyk (jak do dziś w Eton), a uczył się w szkole przeważnie jeszcze bardziej nieznośnej niż dzisiaj. Za to jedzenie było lepsze, a co do słodyczy, to nie będę wam opowiadał, jak mało kosztowały i jak smakowały, żeby wam ślina na próżno nie napływała do ust. W tych to czasach żyła sobie w Londynie dziewczynka, która się nazywała Pola Plummer.

Mieszkała w jednym z owych połączonych ze sobą domów, które ciągnęły się długim rzędem wzdłuż całej ulicy. Pewnego ranka bawiła się w ogrodzie na tyłach swojego domu, gdy znad muru sąsiedniego ogrodu wyjrzała twarz jakiegoś chłopca. Zaskoczyło to Polę, bo w tamtym domu nigdy nie było dzieci; mieszkał w nim tylko pan Ketterley, stary kawaler, ze swoją siostrą, starą panną. Patrzyła więc ze zdumieniem na twarz chłopca, która w dodatku była niezwykle brudna, tak brudna, że nie byłaby wcale brudniejsza, gdyby ów chłopiec umazał sobie ręce w ziemi, potem się rozpłakał, a potem długo wycierał łzy rękami. Prawdę mówiąc, to właśnie przed chwilą robił.

– Cześć! – powiedziała Pola.

– Cześć! – odpowiedział chłopiec. – Jak masz na imię?

– Pola. A ty?

– Digory – odrzekł chłopiec.

– Ojej! Jakie śmieszne imię! – zawołała Pola.

– Twoje jest jeszcze bardziej śmieszne.

– O, na pewno nie! – zaperzyła się Pola.

– A właśnie że tak – upierał się Digory.

– W każdym razie JA na pewno MYJĘ twarz – powiedziała Pola. – Bardzo by ci się to przydało, zwłaszcza że... – i urwała. Chciała powiedzieć „że na pewno przedtem ryczałeś", ale w porę pomyślała, że nie byłoby to ładnie z jej strony.

– No dobra, więc płakałem – powiedział Digory podniesionym głosem jak ktoś tak nieszczęśliwy, że jest mu już wszystko jedno. – Mogę się założyć, że ty byś też ryczała, gdybyś mieszkała na wsi, miała kucyka i ogród nad rzeką i gdyby ci potem kazano żyć w takiej ohydnej dziurze...

– Londyn nie jest żadną dziurą – oburzyła się Pola. Ale chłopiec, zbyt przejęty swoimi nieszczęściami, nie zwrócił na to uwagi i ciągnął dalej:

— ...i gdyby twój ojciec był daleko, w Indiach... i gdybyś musiała mieszkać z ciotką i wujem, który jest stuknięty... a wszystko dlatego, że twoja matka wymaga stałej opieki, bo jest chora i chyba... chyba umrze... — Wyrzucił to z siebie i wykrzywił się jak ktoś, kto próbuje powstrzymać łzy.

— Przepraszam cię, nie wiedziałam. Okropnie mi przykro — powiedziała cicho Pola. A ponieważ zapadło milczenie i nie wiedziała, co powiedzieć, a także by zwrócić uwagę Digory'ego na coś mniej ponurego, zapytała: — Czy pan Ketterley naprawdę zwariował?

— Albo zwariował, albo jest w tym wszystkim jakaś tajemnica. Na najwyższym piętrze ma swój gabinet i ciotka Letycja wciąż mi przypomina, żebym się nie ważył tam chodzić. Już to wydaje się trochę podejrzane, no nie? Ale na tym nie koniec. Gdy tylko wuj próbuje coś do mnie powiedzieć przy stole — nigdy nawet nie próbuje odezwać się do NIEJ — ona zawsze go ucisza. „Nie zawracaj chłopcu głowy, Andrzeju", mówi, albo: „Jestem pewna, że Digory wcale nie ma ochoty TEGO słuchać", albo: „Digory, może byś tak wyszedł i pobawił się w ogrodzie?"

— Ale o czym właściwie chce ci powiedzieć?

— Nie mam pojęcia. Nigdy nie zdąży powiedzieć tyle, żebym się zorientował, o co mu chodzi. Ale jest jeszcze coś. Pewnej nocy, a prawdę mówiąc, zeszłej nocy, szedłem do swojej sypialni i właśnie mijałem schody na poddasze, gdy usłyszałem stamtąd jakieś wycie. Jestem tego pewny.

— Może on tam trzyma pod kluczem swoją żonę, która też jest szalona?

— No właśnie, też o tym pomyślałem.

— Albo może fałszuje pieniądze?

— Albo może był kiedyś piratem, jak ten tajemniczy gość z początku Wyspy Skarbów, i ukrywa się przed swoimi kompanami...

— No wiesz, to okropnie ciekawe! – zawołała Pola. — Nie wiedziałam, że twój dom jest tak ciekawym miejscem.

– Możesz uważać, że to ciekawe, ale nie bardzo by ci się podobało, gdybyś musiała tam sypiać. Na przykład budzisz się w nocy i słyszysz kroki wuja Andrzeja, skradającego się korytarzem do twojej sypialni. Niezbyt przyjemne, prawda? On ma takie straszne oczy.

W ten właśnie sposób Pola i Digory poznali się i zaprzyjaźnili, a ponieważ letnie wakacje akurat się zaczynały i żadne z nich nie wyjeżdżało w tym roku nad morze, spotykali się odtąd prawie codziennie.

Początek ich wspólnych przygód wiąże się ściśle z tym, że to lato było jednym z najbardziej mokrych i chłodnych, jakie pamiętali. Taka pogoda zmusza do siedzenia w domu, a siedzenie w domu sprzyja odkrywaniu i poznawaniu jego zakamarków. Ileż odkryć można zrobić, wędrując z kawałkiem świecy po wielkim, starym domu, a właściwie – po domach. Pola odkryła bowiem już wcześniej w klatce schodowej na strychu swego domu małe drzwi, za nimi zbiornik na wodę, a za nim ciemne miejsce, do którego można było się wcisnąć. To ciemne miejsce przypominało długi tunel z prostopadłą, ceglaną ścianą po jednej stronie i ukośnie opadającym dachem domu po drugiej. Między dachówkami były od czasu do czasu szczeliny, przez które sączyło się dzienne światło. Tunel nie miał podłogi z desek; chodziło się po drewnianych krokwiach, rozdzielonych tylko cienką warstwą tynku. Gdyby się na niej przypadkiem stanęło, można by wpaść przez sufit do pokoju położonego niżej. Na początku tunelu, tuż za zbiornikiem, Pola urządziła sobie Jaskinię Przemytników. Z kawałków starych skrzyń i połamanych kuchennych taboretów zrobiła coś w rodzaju podłogi. Trzymała tutaj żelazną kasetkę z różnymi skarbami i powieść, którą pisała, miała tam też zwykle kilka jabłek. Było to wymarzone miejsce, by w spokoju wypić sobie butelkę imbirowego piwa. Puste butelki jeszcze bardziej upodabniały je do prawdziwej jaskini przemytników.

Digory'emu Jaskinia bardzo się podobała. Pola nie pokazała mu swojej powieści, ale chłopca i tak bardziej zainteresowały dalsze odkrycia.

– Słuchaj, Polu, jak daleko biegnie ten tunel? Chodzi mi o to, czy kończy się tam, gdzie twój dom?

– Nie. Ta ściana nie wychodzi na dach. Ciągnie się dalej. Nie mam pojęcia dokąd.

– A więc może się ciągnąć przez cały rząd domów.

– Na pewno. Ale… słuchaj, Digory, coś mi wpadło do głowy.

– Co?

– Przecież w ten sposób możemy dostać się do innych domów!

– Tak, żeby nas złapali i wzięli za złodziei. Dziękuję, to nie dla mnie.

– Nie bądź taki przemądrzały. Myślałam o tym domu za waszym.

– No i co myślałaś?

– Och, głupiś, przecież to pusty dom. Tata mówi, że zawsze stał pusty, odkąd tu mieszkamy.

– Chyba powinniśmy go zwiedzić – rzekł Digory. Był bardziej podniecony, niż na to wskazywał ton jego głosu. Bo oczywiście myślał – tak jak i wy byście pomyśleli – o wszystkich przyczynach, dla których dom mógł stać pusty przez tak długi czas. O tym samym myślała Pola. Żadne z nich nie wypowiedziało słowa „duchy". Oboje jednak czuli, że jeśli już się raz coś zaproponowało, to byłoby głupio tego nie zrobić.

– No to co, idziemy tam zaraz? – zapytał Digory.

– Dobrze – zgodziła się Pola.

– Nie musisz, jeśli nie masz ochoty – dodał Digory.

– Jeśli ty się nie boisz, to i ja nie.

– Musimy tylko się zastanowić, po czym poznamy, że jesteśmy już w tamtym domu.

Postanowili wyjść na klatkę schodową poddasza i zmierzyć ją krokami tak długimi, jak odległość między jedną krokwią a drugą. To dałoby im pojęcie, ile krokwi przypada na jedno pomieszczenie poddasza. Do tego trzeba dodać ze cztery krokwie na korytarz między dwoma poddaszami w domu Poli i tę samą liczbę na drugie pomieszczenie, w którym była sypialnia służącej. W ten sposób mieliby długość całego domu. Podwojenie tej odległości doprowadzi ich do końca domu Digory'ego. Jeśli będą tam jakieś drzwi, to znaczy, że prowadzą na poddasze pustego domu.

– Chociaż wcale nie byłbym taki pewien, że jest naprawdę pusty – powiedział Digory.

– Dlaczego?

– Założę się, że ktoś tam potajemnie mieszka, ktoś, kto wychodzi tylko w nocy, z latarnią. Nie zdziwiłbym się, gdybyśmy odkryli bandę gotowych na wszystko złoczyńców i dostali za to nagrodę. Przecież to niemożliwe, by dom stał pusty przez te wszystkie lata i żeby nie było w tym jakiejś tajemnicy.

– Ojciec mówił, że tam nawala kanalizacja – powiedziała Pola.

– Aha! Dorośli zawsze wyjaśniają wszystkie zagadki w bardzo nudny sposób.

Rozmawiali teraz w świetle dziennym, wpadającym przez okienko w klatce schodowej poddasza, a nie przy świetle migocącej świecy w Jaskini Przemytników, więc wydawało im się o wiele mniej prawdopodobne, by w pustym domu straszyło.

Kiedy wymierzyli klatkę poddasza, musieli wziąć ołówek i dokonać obliczeń. Liczyli kilka razy, bo wyniki z początku wychodziły różne, a gdy się wreszcie zgodziły, nie mieli pewności, że uzyskali właściwą odległość. Spieszno im było rozpocząć odkrywczą wyprawę.

– Musimy być cicho – powiedziała Pola, gdy wcisnęli się w czarną dziurę za zbiornikiem na wodę. W Jaskini miała spory zapas świec, więc uznali, że podczas tak ważnej wyprawy każde powinno mieć swoją.

Tunel był ciemny i pełen kurzu unoszonego raz po raz powiewami przeciągu. Stąpali ostrożnie po krokwiach, odzywając się szeptem tylko wtedy, gdy któreś zauważało: „Jesteśmy teraz naprzeciw WASZEGO poddasza" albo: „Musimy być w połowie NASZEGO domu". Płomyki świec migotały, ale nie zgasły ani razu; udało im się więc przejść sporą odległość bez potknięcia. W końcu doszli do niewielkich drzwi w ceglanej ścianie po prawej stronie. W drzwiach nie było, oczywiście, żadnej klamki, bo zostały zrobione po to, aby przez nie wchodzić do tunelu, a nie wychodzić. Na zewnątrz wystawał jednak język zasuwki (jakie bywają od wewnątrz w drzwiach starych szaf), którą na pewno dałoby się otworzyć, gdyby się bardzo chciało.

– Mam otworzyć? – zapytał Digory.

– Jeśli ty się nie boisz, to i ja nie – odpowiedziała Pola, używając tych samych słów co poprzednio. Oboje czuli, że sytuacja staje się coraz bardziej poważna, ale żadne nie miało zamiaru się wycofać. Digory przesunął z pewnym trudem język zasuwki. Drzwi się otworzyły i oślepił ich blask dziennego światła. Ku ich zaskoczeniu pomieszczenie, na które patrzyli, nie było wcale opuszczonym poddaszem, lecz umeblowanym pokojem. Na szczęście nikogo w nim nie było. Panowała głęboka cisza. Ciekawość Poli wzięła górę nad strachem. Zdmuchnęła świecę i weszła na palcach do dziwnego pokoju.

Wnętrze miało kształt poddasza (z pochyłym sufitem i nierównymi ścianami). Zawalone książkami półki

zajmowały całe ściany. Na kominku płonął ogień (jak pamiętacie, było to bardzo deszczowe i chłodne lato), a przed kominkiem stał wysoki fotel zwrócony do Poli tyłem. Między fotelem a nią stał wielki stół, zajmujący cały środek pokoju, a na nim mnóstwo najróżniejszych przedmiotów: stosy zwykłych, drukowanych książek, grube księgi do pisania w twardych oprawach, kałamarze, pióra, kawałki wosku do pieczętowania, a nawet mikroskop. Ale uwagę Poli zwróciła przede wszystkim drewniana, jasnoczerwona tacka, na której leżało kilka błyszczących obrączek. Leżały parami: żółta i zielona razem, potem wolna przestrzeń i znowu obrączka żółta i zielona. Miały rozmiar zwykłych obrączek, ale tak błyszczały, że od razu przyciągały wzrok. Były to najcudowniejsze błyszczące małe rzeczy, jakie można sobie wyobrazić. Gdyby Pola miała o kilka lat mniej, na pewno z chęcią wsadziłaby sobie jedną do ust.

W pokoju panowała taka cisza, że Pola od samego początku słyszała tykanie zegara. A jednak, gdy postała chwilę nieruchomo, odkryła, że cisza nie jest całkowita. Usłyszała słaby – bardzo, bardzo słaby – dźwięk przypominający buczenie. Gdyby w tych czasach wynaleziono już odkurzacze, Pola pomyślałaby, że gdzieś daleko pracuje odkurzacz, gdzieś bardzo daleko, kilka pięter niżej. Prawdę mówiąc, ten dźwięk był nieco przyjemniejszy niż buczenie odkurzacza – bardziej melodyjny – lecz tak słaby, że ledwo się go słyszało.

– W porządku, nikogo tu nie ma – powiedziała przez ramię do Digory'ego. Chłopiec wszedł do środka i stanął obok niej, mrugając oczami. Był okropnie brudny. Zresztą Pola nie wyglądała teraz wcale lepiej.

– To mi się nie podoba – powiedział. – To wcale nie jest ten pusty dom. Zwiewajmy, zanim ktoś przyjdzie.

– Co to może być? – zapytała Pola, wskazując na kolorowe obrączki.

– Och, daj spokój! Im wcześniej...

Ale nie wypowiedział swej myśli do końca, bo naraz coś się wydarzyło. Stojący przed kominkiem fotel z wysokim oparciem nagle się poruszył i powstał z niego – jak w pantomimie demon z dziury w podłodze sceny – przerażający kształt dorosłego mężczyzny. Był to wuj Andrzej we własnej osobie. Digory miał rację: nie znajdowali się wcale w opuszczonym domu, lecz w jego domu, w zakazanym gabinecie wuja! Dzieci krzyknęły „O-o-och!" i zrozumiały straszną pomyłkę. Dopiero teraz do nich dotarło, że nie przeszły jeszcze obliczonej liczby krokwi.

Wuj Andrzej był bardzo wysoki i bardzo chudy. Miał gładko ogoloną twarz z ostro zakończonym nosem i jasnymi, błyszczącymi oczami. Na głowie kłębiła mu się wielka czupryna siwych włosów.

Digory zaniemówił, bo wuj Andrzej wyglądał tysiąc razy bardziej niepokojąco niż kiedykolwiek przedtem. Pola nie była jeszcze tak przestraszona, ale trwało to krótko. Bo oto wuj Andrzej bez wahania podszedł do drzwi i przekręcił klucz w zamku. Potem odwrócił się i popatrzył na dzieci płonącymi niezdrowo oczami, i uśmiechnął się, pokazując wszystkie zęby.

– Wspaniale! – powiedział. – Wreszcie moja głupia siostra nie będzie nam mogła przeszkadzać!

Takiego zachowania trudno się było spodziewać po dorosłym. Pola poczuła, że serce podchodzi jej do gardła, i razem z Digorym zaczęła się powoli cofać ku małym drzwiom, przez które tutaj weszli. Ale wuj Andrzej był szybszy. Pobiegł do drzwiczek, zamknął je i stanął przed nimi, zacierając ręce, a potem wyciągał sobie każdy palec z głośnym trzaskiem. A miał bardzo długie i bardzo białe palce.

– Jestem zachwycony, widząc was tutaj – powiedział. – Dwoje dzieci? To jest właśnie to, czego mi brakowało.

– Niech pan będzie tak dobry i wypuści nas, panie Ketterley – odezwała się Pola. – Zbliża się pora obiadu i muszę wrócić do domu.

– Jeszcze nie teraz, moja droga – odpowiedział wuj Andrzej. – To za wielka okazja, by z niej nie skorzystać. Potrzebnych mi było dwoje dzieci. Przeprowadzam właśnie niezwykle doniosły eksperyment. Próbowałem już na śwince morskiej i wszystko wskazuje, że to działa. Ale świnka morska nie potrafi mówić. Nie można też jej wytłumaczyć, jak się stamtąd wraca.

– Posłuchaj, wuju – rzekł Digory – naprawdę jest pora obiadu i będą nas szukać. Musisz nas wypuścić.

– Muszę? – zapytał wuj Andrzej.

Digory i Pola popatrzyli na siebie. Bali się odezwać, ale ich spojrzenia wyrażały: „Czy to nie okropne?" i „Musimy go jakoś udobruchać".

– Jeżeli pan nas teraz wypuści – powiedziała wreszcie Pola – to możemy wrócić po obiedzie.

– Tak? A skąd mogę mieć pewność, że wrócicie? – spytał wuj Andrzej z chytrym uśmiechem. Ale po chwili jakby zmienił zdanie. – No cóż, skoro naprawdę musicie iść, to chyba nie będę was zatrzymywał. Trudno oczekiwać, by takim młodym ludziom jak wy sprawiała przyjemność rozmowa z takim starym niedołęgą jak ja. – Westchnął i ciągnął dalej: – Nie macie pojęcia, jak bardzo czuję się czasami samotny. Ale nie ma o czym mówić. Idźcie na obiad. Chciałbym wam tylko coś dać, zanim pójdziecie. Nie co dzień zdarza mi się widzieć dziewczynki w tej mojej zatęchłej dziurze, a zwłaszcza, jeśli wolno mi tak powiedzieć, takie urocze młode damy jak ty.

Pola pomyślała, że może wuj Andrzej nie jest tak zwariowany, jak im się wydawało.

– Czy chciałabyś mieć pierścionek, moja kochana? – zapytał wuj.

– Ma pan na myśli jeden z tych żółtych lub zielonych? Są cudowne!

– Nie, zielonego ci dać nie mogę. Ale będę zachwycony, jeśli przyjmiesz żółty. Ze szczerego serca. Możesz sobie jeden przymierzyć.

Pola przestała się już zupełnie bać i nabrała pewności, że ten miły starszy pan wcale nie jest szaleńcem. Zresztą w błyszczących obrączkach było coś naprawdę dziwnie pociągającego. Podskoczyła do stołu i nachyliła się nad tacką.

– Ojej! – zawołała. – To buczenie jest tutaj głośniejsze! Zupełnie jakby się wydobywało z tych obrączek.

– Cóż za zabawny pomysł! – zaśmiał się wuj Andrzej. Zabrzmiało to bardzo naturalnie, ale Digory zdążył dostrzec niecierpliwy, pożądliwy wyraz jego twarzy. – Pola! Nie bądź głupia! – zawołał. – Nie dotykaj tego!

Ale było już za późno. Zanim skończył, ręka Poli sięgnęła do tacki, by dotknąć jednej z obrączek. I w tej samej chwili, bez żadnego błysku, hałasu lub jakiegokolwiek innego ostrzeżenia, Pola znikła. Digory i jego wuj byli sami w pokoju.

ROZDZIAŁ 2

Digory i jego wuj

BYŁO TO TAK NIESPODZIEWANE i tak straszliwie nie-
podobne do niczego — nawet do najbardziej koszmarnych snów — że Digory nie mógł się powstrzymać od
wrzaśnięcia. Ale był to krótki wrzask, bo ręka wuja
Andrzeja błyskawicznie zatkała mu usta.

— Tylko nie krzycz! — syknął chłopcu do ucha. — Jeżeli narobisz hałasu, usłyszy to twoja matka. A chyba
wiesz, co może się stać, gdy się przestraszy.

Digory później mówił, że okropna podłość takiego
postępowania przyprawiała go o mdłości. Ale, rzecz jasna, nie próbował już wrzasnąć po raz drugi.

— No, już lepiej — powiedział wuj Andrzej. — Zapewne nie mogłeś się powstrzymać. To naprawdę wielki wstrząs, kiedy się po raz pierwszy widzi, jak ktoś
znika. Nawet ja poczułem się dziwnie, kiedy znikła
moja świnka morska.

— I też wtedy wrzasnąłeś, prawda? — zapytał Digory.

— Och, słyszałeś to! Mam nadzieję, że mnie nie
szpiegowałeś.

— Nie, ja nikogo nie szpieguję — oburzył się Digory.
— Ale co się stało z Polą?

– Możesz mi pogratulować, chłopcze – odrzekł wuj Andrzej, zacierając ręce. – Mój eksperyment się powiódł. Ta mała odeszła... znikła... z tego świata.

– Co jej zrobiłeś?

– Posłałem ją do... hm... do innego miejsca.

– Co takiego?! Co masz na myśli?

Wuj Andrzej usiadł i powiedział:

– No dobrze, zaraz ci wszystko wyjaśnię. Czy słyszałeś kiedyś o starej pani Lefay?

– Masz na myśli tę cioteczną babkę?

– Niezupełnie. Pani Lefay była moją matką chrzestną. To ta, na tej ścianie.

Digory spojrzał i zobaczył wyblakłą fotografię starej kobiety w czepku. Przypomniał sobie, że już kiedyś widział tę twarz w starym albumie, w rodzinnym domu na wsi. Zapytał wówczas matkę, kto to jest, ale ona nie chciała jakoś rozmawiać na ten temat. Digory pomyślał, że nie jest to wcale przyjemna twarz, wiedział jednak, iż dawne fotografie nie zawsze oddawały wiernie czyjeś rysy.

– Czy coś... czy czasem... z nią było coś nie w porządku, wuju?

– No cóż... – wuj Andrzej zachichotał – to zależy od tego, co się rozumie przez wyrażenie NIE W PORZĄDKU. Ludzie mają tak ciasne pojęcia. Z pewnością, gdy była stara, zachowywała się bardzo dziwnie. Robiła różne niemądre rzeczy. Dlatego musiano ją zamknąć.

– W takim specjalnym domu?

– Och, nie, nie – odpowiedział wuj Andrzej szybko.
– To całkiem inna sprawa. Zamknięto ją w więzieniu.
– Ach, tak! – zawołał Digory. – A co takiego zrobiła?

– Ach, biedna kobieta! Była naprawdę niemądra. Chodziło o wiele różnych rzeczy. Ale nie musimy się w to zagłębiać. W każdym razie dla mnie była zawsze dobra.

– Ale, wuju, co to wszystko ma wspólnego z Polą? Naprawdę, chciałbym, żebyś...

– Wszystko w swoim czasie, mój chłopcze – przerwał wuj. – W każdym razie przed śmiercią wypuszczono panią Lefay na wolność, a ja byłem jednym z niewielu ludzi, z którymi chciała się widywać w ciągu swojej ostatniej choroby. Widzisz, ona nie lubiła zwykłych, ciemnych ludzi. Nietrudno mi to zrozumieć. Jeśli chodzi o mnie, to interesowałem się tymi samymi sprawami co ona. Na kilka dni przed śmiercią kazała mi podejść do takiego starego sekretarzyka, otworzyć tajemną szufladę i przynieść sobie małą kasetkę. Gdy tylko wziąłem kasetkę, poczułem w palcach dziwne, bolesne mrowienie; nie ulegało wątpliwości, że mam w rękach jakąś wielką tajemnicę. A ona kazała mi przysiąc, że gdy tylko umrze, spalę tę kasetkę z pewnymi ceremoniami, nie zaglądając do środka. Złożyłem przysięgę, ale jej nie dotrzymałem.

– No wiesz, wuju, postąpiłeś bardzo paskudnie – powiedział Digory.

– Paskudnie? – zdziwił się wuj Andrzej. – Ach, rozumiem, o co chodzi. Uważasz, że mali chłopcy powinni dotrzymywać przyrzeczeń. Święta racja, nie ulega wątpliwości, że tak właśnie powinno być i cieszę się, że tego cię nauczono. Ale musisz zrozumieć, że tego rodzaju zasady, choć są naprawdę najbardziej właściwe i słuszne dla małych chłopców... i służby... i kobiet... a nawet dla wszystkich ludzi w ogólności... przestają obowiązywać, gdy chodzi o prawdziwych uczonych, wielkich myślicieli i mędrców. Nie, mój chłopcze. Ludzie tacy jak ja, którzy posiedli tajemną wiedzę, nie podlegają tym pospolitym zasadom, podobnie jak nie korzystają z pospolitych przyjemności. Przeznaczeniem nas, wielkich samotników, są o wiele wyższe sprawy.

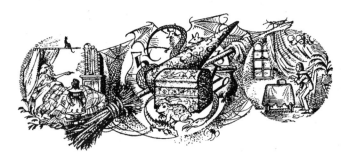

Gdy to powiedział, westchnął głęboko, a minę miał tak poważną, szlachetną i tajemniczą, że Digory przez chwilę myślał, iż usłyszał coś naprawdę wzniosłego. Ale zaraz przypomniał sobie zły wyraz jego twarzy w chwilę przed zniknięciem Poli. Wielkie słowa, jakie dopiero co usłyszał, przestały być wielkie. „Wszystko to oznacza – powiedział sobie w duchu – że on jest po prostu nieodpowiedzialny: myśli, że może robić, co mu się podoba, aby mieć to, co chce".

– Przez długi czas – mówił dalej wuj Andrzej po chwili milczenia – nie ośmielałem się otworzyć tej kasetki, ponieważ wiedziałem, że może tam być coś bardzo niebezpiecznego. Moja matka chrzestna była BARDZO osobliwą kobietą. Zresztą powiem ci prawdę: ona była ostatnią spośród żyjących... przynajmniej w tym kraju... w której żyłach płynęła krew najprawdziwszych czarodziejek. Powiedziała mi, że za jej czasów były jeszcze dwie: jedna była księżną, druga posługaczką. Tak, mój chłopcze, rozmawiasz teraz z ostatnim... prawdopodobnie... człowiekiem, który ma za matkę chrzestną czarodziejkę! Tak, mój Digory. To jest coś, co będziesz wspominał, gdy sam będziesz już stary!

„Założę się, że była wiedźmą" – pomyślał Digory, a na głos zapytał:

– Ale co będzie z Polą?

– Ależ się do tego przyczepiłeś! – zawołał wuj Andrzej. – Tak jakby to było najważniejsze! Przede wszystkim postanowiłem zbadać samą szkatułkę. Była bardzo, bardzo stara. Już wtedy wiedziałem dostatecznie dużo, aby mieć pewność, że nie pochodzi ani z Grecji, ani ze starożytnego Egiptu, ani z Babilonu, ani z kraju Hetytów czy z Chin. Nie, musiała być starsza niż wszystkie te cywilizacje. Ach, to był naprawdę wielki dzień, gdy wreszcie odkryłem prawdę: szkatułka pochodziła z zaginionej wyspy Atlantydy. A wiesz, co to znaczy? To znaczy, że była o całe wieki starsza od tych wszystkich zabytków z epoki kamiennej, które się wykopuje w Europie. I wcale nie była prymitywnym, niezdarnie wykonanym przedmiotem jak tamte. Wiedz bowiem, że u samych początków dziejów Atlantyda była już wielkim miastem z pałacami, świątyniami i uczonymi.

Przerwał na chwilę, jakby oczekiwał, że Digory coś powie. Ale Digory'mu jego wuj coraz mniej się podobał, więc nie powiedział nic.

– W tym czasie – ciągnął wuj Andrzej – poczyniłem znaczne postępy w zgłębianiu nauk tajemnych. Nie będę ci tego dokładnie opisywał, bo jesteś jeszcze dzieckiem. W każdym razie doszedłem do takiej wiedzy, że mogłem z dużą dozą prawdopodobieństwa domyślać się, co może być w tej szkatułce. Rozmaite próby i doświadczenia pozwoliły mi coraz bardziej zawężać możliwości. Poznałem wówczas pewnych... hm... pewnych diabelskich, dziwnych osobników i przeszedłem przez różne niezbyt przyjemne doświadczenia. Właśnie wtedy posiwiałem. Tak, nie zostaje się magiem za darmo. Zapłaciłem za to ciężką utratą zdrowia. Ale to już minęło. I w końcu, w końcu POZNAŁEM prawdę.

Byli sami w pracowni na poddaszu, do której nikt nie miał wstępu, i trudno było przypuścić, by ktoś mógł ich podsłuchiwać, lecz w tym momencie wuj Andrzej nachylił się nad chłopcem i wyszeptał mu do ucha:

– Szkatułka z Atlantydy zawierała coś, co zostało przyniesione z innego świata, i to w czasach, gdy nasz świat dopiero się zaczynał.

– Ale co? – zapytał Digory, który wbrew sobie zaczął się już bardzo interesować tą niesamowitą opowieścią.

– Tylko pył – odrzekł wuj Andrzej. – Wspaniały, suchy pył. Nic szczególnego, na pierwszy rzut oka. Nic takiego, z pozoru, co warte byłoby trudów całego życia. Ale kiedy popatrzyłem na ten pył... a możesz być pewien, że bardzo uważałem, aby go przypadkiem nie dotknąć... i kiedy pomyślałem, że każde jego ziarenko było kiedyś w INNYM świecie... nie mam na myśli innej planety: te ciała niebieskie są częścią NASZEGO świata i można się tam w końcu dostać, jeśli się bardzo chce... a więc w prawdziwym Innym Świecie... w innej naturze... w innym wszechświecie... gdzieś, dokąd byś nie dotarł, choćbyś podróżował bez końca w przestrzeni kosmicznej... w świecie, do którego można się dostać tylko za pomocą magii, ach! – i urwał, zacierając ręce tak mocno, że stawy strzelały mu jak fajerwerki.

– Wiedziałem – ciągnął po chwili – że gdybym tylko potrafił znaleźć właściwą FORMĘ, ten pył przeniósłby mnie do miejsca, z którego pochodzi. To była największa trudność: uzyskać odpowiednią formę. Pierwsze eksperymenty nie dały oczekiwanego rezultatu. Próbowałem na świnkach morskich. Niektóre po prostu zdechły. Inne wybuchły jak małe bomby...

– To straszne okrucieństwo! – zawołał Digory, który miał kiedyś świnkę morską.

– Ależ ty masz zdolność do mijania się z sednem sprawy! – powiedział wuj Andrzej. – Przecież te stworzenia do tego właśnie służą. Sam je kupiłem. Zaraz... na czym skończyłem? Ach, tak. I w końcu udało mi się zrobić te obrączki: żółte obrączki. Tak, ale wówczas pojawiła się nowa trudność. Miałem już pewność, że taka żółta obrączka może wysłać do Innego Świata każde stworzenie, które jej dotknie. Jaki był jednak z tego pożytek, skoro wciąż nie potrafiłem ściągnąć ich z powrotem, żeby się dowiedzieć, co tam jest?

– A co z NIMI? – zapytał Digory. – Czy nie pomyślałeś, w co je pakujesz, wysyłając je gdzieś, skąd nie ma powrotu?

– Wciąż patrzysz na to wszystko z zupełnie niewłaściwego punktu widzenia – odpowiedział wuj Andrzej wyraźnie zniecierpliwiony. – Czy nie potrafisz zrozumieć, o co tu właściwie chodzi? O jak doniosły eksperyment? Przecież po to wysyłam kogoś do Innego Świata, żeby się dowiedzieć, jaki ten Świat jest.

– Więc dlaczego sam się nie wyślesz?

Digory nigdy jeszcze nie widział kogoś z tak zaskoczonym i urażonym wyrazem twarzy jak wuj Andrzej po usłyszeniu tego pytania.

– Ja?! Ja?! – zawołał. – Ten chłopiec zwariował! Chciałbyś, żeby człowiek w moim wieku i w moim stanie zdrowia narażał się na ryzyko straszliwego wstrząsu i wszystkich innych niebezpieczeństw związanych z nagłym przeniesieniem do zupełnie innego wszechświata? Nigdy jeszcze nie słyszałem czegoś równie niedorzecznego! Czy zdajesz sobie sprawę, co powiedziałeś? Pomyśl, co oznacza INNY świat: można tam spotkać... wszystko! Wszystko... rozumiesz?

– I tam właśnie, jak sądzę, wysłałeś Polę? – zapytał Digory z policzkami czerwonymi od gniewu. – Więc powiem ci – dodał – powiem ci, co myślę, mimo że jesteś moim wujem. Zachowałeś się jak tchórz, wysyłając małą dziewczynkę tam, dokąd sam boisz się udać.

– Dosyć, mój panie! – zawołał wuj Andrzej, uderzając dłonią w stół. – Nie będę wysłuchiwał takich rzeczy z ust małego, brudnego uczniaka. Niczego nie rozumiesz. Jestem wielkim uczonym, magiem, wtajemniczonym, który PRZEPROWADZA EKSPERYMENT. To oczywiste, że potrzebne mi są stworzenia, NA KTÓRYCH mogę eksperymentować. Coś takiego! Za chwilę powiesz, że powinienem był poprosić o pozwolenie świnki morskie! Nie osiąga się wielkiej mądrości bez ofiar. Ale pomysł, żebym to ja sam był przedmiotem mojego eksperymentu, jest naprawdę śmieszny! To tak, jakbyś żądał od generała, by walczył jak prosty żołnierz. A przypuśćmy, żebym zginął, co wówczas stałoby się z dziełem całego mojego życia?

– Och, mam już dość tego kazania! – przerwał mu Digory. – Czy zamierzasz sprowadzić Polę z powrotem?

– Miałem ci właśnie powiedzieć, kiedy tak grubiańsko mi przerwałeś, że znalazłem w końcu sposób na drogę powrotną. Te zielone obrączki pozwalają wrócić do naszego świata.

– Ale przecież nie dałeś Poli zielonej obrączki!

– Nie – zgodził się wuj Andrzej, wybuchając okrutnym śmiechem.

– A więc ona nie może wrócić! – zawołał Digory. – To przecież tak, jakbyś ją zamordował!

– Ona może wrócić – powiedział wuj Andrzej spokojnie – jeśli ktoś drugi przeniesie się do Innego Świata za pomocą żółtej obrączki, zabierając ze sobą dwie zielone: jedną dla siebie, drugą dla niej.

Dopiero teraz Digory zrozumiał, że został schwytany w pułapkę, i wpatrywał się w wuja Andrzeja bez słowa z szeroko otwartymi ustami i pobladłymi policzkami.

– Mam nadzieję – rzekł w końcu wuj Andrzej dobitnym i nieco namaszczonym głosem, jakby był wspaniałym wujem, który właśnie dał komuś solidny napiwek i jakąś dobrą radę – MAM NADZIEJĘ, Digory, że nie okażesz się tchórzem. Byłbym naprawdę niepocieszony, gdyby się okazało, że jeden z członków naszej rodziny nie znajdzie w sobie dość honoru i rycerskości, by przyjść z pomocą... eeee... damie w niebezpieczeństwie.

– Och, przestań! – krzyknął Digory. – Gdybyś w ogóle miał jakiś honor i to wszystko, sam byś się tam udał. Ale wiem dobrze, że na to cię nie stać. Dobra. Widzę, że muszę to zrobić. Powiem ci tylko, że jesteś prawdziwym potworem. Podejrzewam, że wszystko to dobrze zaplanowałeś, tak aby ona przeniosła się tam, nie wiedząc, co czyni, i abym ja udał się w ślad za nią.

— Ależ oczywiście! — przyznał wuj Andrzej z jadowitym uśmiechem.

— Pięknie. Zrobię to. Ale jest jeszcze jedna rzecz, którą muszę ci przedtem powiedzieć. Aż do dzisiaj nie wierzyłem w żadne czary. Teraz widzę, że się myliłem. Jeśli tak się rzeczy mają, to te wszystkie starodawne opowieści o wróżkach i czarach mogą być mniej lub bardziej prawdziwe. A ty jesteś po prostu przeklętym, okrutnym czarodziejem, o jakich się mówi w tych opowieściach. I powiem ci, nigdy jeszcze nie czytałem takiej, w której osobnicy twego pokroju nie dostaliby w końcu za swoje. Założę się, że i ciebie to spotka. I będzie to, mam nadzieję, sowita zapłata.

Ze wszystkich słów, jakie Digory wypowiedział w pracowni wuja, dopiero te ostatnie zrobiły na nim wrażenie. Poderwał się, a na jego twarzy odmalowała się taka zgroza, że choć był prawdziwym potworem, budził jednak współczucie. Lecz trwało to bardzo krótko. W chwilę później zdobył się na nieco wymuszony uśmiech i powiedział:

— Tak, tak, to chyba zupełnie naturalne dla chłopca wychowanego wśród kobiet. Opowieści starej babci, co?... Nie sądzę, abyś musiał teraz martwić się o MNIE, Digory. Czy nie powinieneś raczej niepokoić się o losy swojej małej przyjaciółki? Jest już tam od dłuższego czasu. Jeśli czyhają na nią TAM jakieś niebezpieczeństwa... no cóż, byłoby ci chyba przykro, gdybyś przybył o sekundę za późno.

– CIEBIE to guzik obchodzi! – zawołał Digory ze złością. – Niedobrze mi się robi od tego gadania. Co mam zrobić?

– Naprawdę musisz się nauczyć panować nad sobą, mój chłopcze – rzekł chłodno wuj Andrzej – bo wyrośniesz na człowieka podobnego do ciotki Letycji. No, ale dość tego. Teraz posłuchaj uważnie.

Wstał, włożył parę rękawic i podszedł do stołu, na którym leżała tacka z obrączkami.

– Zaczynają działać dopiero wtedy – powiedział – gdy dotkną skóry. W rękawiczkach mogę je podnieść... o, tak jak teraz... i nic się nie dzieje. Jeśli będziesz je miał w kieszeni, nic się nie stanie, chyba że włożysz tam rękę i dotkniesz żółtej obrączki, znikniesz z tego świata. Kiedy już będziesz w Innym Świecie, to ZAKŁADAM... oczywiście nie zostało to jeszcze sprawdzone, ale ZAKŁADAM... że w chwili, gdy dotkniesz zielonej obrączki, znikniesz z tamtego świata i... ZAKŁADAM... pojawisz się znowu w tym. Teraz posłuchaj. Biorę te dwie zielone i wkładam ci do prawej kieszeni. Zapamiętaj to dobrze. PRosto na ZIEmię! PR to początek słowa „prawa", a ZIE to początek słowa „zielona". PRosto na ZIEmię! – i sięgasz do PRawej kieszeni po ZIEloną obrączkę. Jedna jest dla ciebie, druga dla tej dziewczynki. A teraz weź tę żółtą. Na twoim miejscu założyłbym ją sobie na palec. W ten sposób na pewno jej nie zgubisz.

Digory już miał dotknąć żółtej obrączki, gdy nagle się powstrzymał.

– Zaraz – powiedział. – A co z moją matką? Co będzie, jak zapyta, gdzie jestem?

– Im wcześniej wyruszysz, tym szybciej wrócisz – odrzekł wuj Andrzej beztrosko.

– Ale tak naprawdę, to nie wiadomo, czy w ogóle wrócę – zauważył Digory ponuro.

Wuj Andrzej wzruszył ramionami, podszedł do drzwi, przekręcił klucz, otworzył je i powiedział:

– Proszę bardzo. Jak sobie życzysz. Idź na dół i zjedz obiad. Zostaw swoją przyjaciółkę w Tamtym Świecie. Jeśli w tym czasie zostanie pożarta przez dzikie zwierzęta, jeśli się utopi lub umrze z głodu albo jeśli się zgubi i zostanie tam na zawsze – pamiętaj, że to będzie twój wybór. Mnie jest wszystko jedno. Tylko dobrze by było, żebyś przed podwieczorkiem wpadł do pani Plummer i wyjaśnił jej, że już nigdy nie zobaczy swojej córeczki, bo bałeś się dotknąć tej obrączki.

– A niech cię diabli porwą! – zawołał Digory. – Chciałbym być teraz tak duży, żeby cię rąbnąć w łeb!

Potem zapiął kurtkę, wziął głęboki oddech i podniósł obrączkę. I pomyślał wówczas, a i później zawsze myślał tak samo, że po prostu nie mógł postąpić inaczej.

ROZDZIAŁ 3

Las Między Światami

Pracownia wuja Andrzeja nagle znikła. Na moment wszystko się zamazało, poplątało i zawirowało. A potem Digory zobaczył zielone, mgliste światło padające na niego z góry i ciemność przed sobą. Wyglądało na to, że jest zawieszony w jakiejś przestrzeni; trudno było powiedzieć, czy stoi, czy leży, czy siedzi. Nic go nie dotykało. „Chyba jestem w wodzie – pomyślał Digory. – Albo raczej POD wodą". Ta myśl go przeraziła, ale prawie natychmiast poczuł, że unosi się szybko do góry. A potem jego głowa wynurzyła się nagle na powietrze i po chwili wczołgiwał się już na gładki, porośnięty trawą brzeg sadzawki.

Kiedy się podniósł, zauważył, że ani nie jest mokry, ani też nie łapie z trudem powietrza, jak należałoby oczekiwać po kimś, kto przed chwilą wynurzył się spod wody. Stał na brzegu niewielkiej sadzawki – ze trzy metry średnicy – w jakimś lesie. Drzewa rosły dość blisko siebie i były tak gęsto pokryte liśćmi, że nie prześwitywał przez nie ani kawałek nieba. Przez liście sączyło się tylko zielone światło, ale gdzieś wyżej musiało świecić mocne słońce, bo zielona poświata była jasna i ciepła. Trudno sobie wyobrazić bardziej cichy las. Nie widział tu ani ptaków, ani owadów, ani zwierząt, ani wiatru. Czuł prawie, jak rosną drzewa. Prócz sadzawki, z której właśnie wyszedł, było tam mnóstwo innych – sadzawka obok sadzawki, co parę metrów, jak daleko mógł sięgnąć wzrokiem. Czuł prawie, jak drzewa piją korzeniami wodę. Pomimo ciszy i bezruchu był to bardzo ŻYWY las. Kiedy Digory próbował go później opisać, mówił: „Było to bardzo BOGATE miejsce, tak bogate, jak świąteczne ciasto ze śliwkami”.

Najdziwniejsze, że Digory prawie zupełnie zapomniał, w jaki sposób tu się znalazł. W każdym razie nie myślał wcale o Poli, o wuju Andrzeju, a nawet o matce. Nie czuł też w ogóle strachu, podniecenia

lub zdziwienia. Gdyby go ktoś zapytał: „Skąd przybyłeś?", odpowiedziałby chyba: „Zawsze tu byłem". Tak właśnie się czuł: jak ktoś, kto zawsze tu był i nigdy się nie nudził, chociaż tutaj nigdy nic się nie zdarzało. Wiele lat później opisywał to tak: „To nie jest taki rodzaj miejsca, w którym się coś dzieje. Drzewa wciąż rosną... to wszystko".

Digory patrzył i patrzył na ten dziwny las i dopiero po długim czasie spostrzegł pod jednym z drzew jakąś dziewczynkę leżącą na plecach. Powieki miała przymknięte, ale nie do końca, jakby znajdowała się między snem a przebudzeniem. Aż w końcu otworzyła szeroko oczy, popatrzyła na niego długo – i nic nie powiedziała. A później, po długiej chwili milczenia, przemówiła sennym, pełnym zadowolenia głosem:

– Myślę, że gdzieś już ciebie widziałam.

– I ja myślę podobnie o tobie – rzekł Digory. – Długo tu jesteś?

– Och, chyba byłam tu zawsze... Zresztą... nie wiem. W każdym razie od dawna.

– I ja też – powiedział Digory.

– Nie, ty nie. Widziałam, jak przed chwilą wyszedłeś z sadzawki.

– Tak, chyba tak... – zgodził się Digory nieco zaskoczony. – Musiałem zapomnieć.

Milczeli oboje przez dłuższy czas.

– Posłuchaj – odezwała się wreszcie dziewczynka – czy my naprawdę nie spotkaliśmy się już przedtem? Mam jakieś takie wspomnienie... jakiś obraz w głowie... chłopiec i dziewczynka, tacy jak my, żyjący zupełnie gdzie indziej, robiący różne rzeczy. Może to był tylko sen.

– Mnie się śniło to samo – rzekł Digory. – O chłopcu i dziewczynce mieszkających obok siebie... i coś o chodzeniu po krokwiach. Pamiętam, że dziewczynka miała bardzo brudną twarz.

– Czy coś ci się nie pomieszało? W moim śnie to właśnie chłopiec miał bardzo brudną twarz.

– Nie pamiętam twarzy tego chłopca – powiedział Digory, a w chwilę później dodał: – Hej! A co to takiego?

– Ojej! Przecież to świnka morska! – zawołała dziewczynka. I rzeczywiście, w trawie myszkowała zwykła, tłusta świnka morska. Dziwiło tylko to, że tułów miała przewiązany tasiemką, a na tasiemce kołysała się błyszcząca, żółta obrączka.

– Patrz! Patrz! – zawołał Digory. – Obrączka! I zobacz! Ty też masz taką na palcu. I ja też.

Teraz dziewczynka usiadła, po raz pierwszy czymś naprawdę zaciekawiona. Wpatrywali się w siebie z uporem, chcąc sobie wszystko przypomnieć. Aż wreszcie, dokładnie w tym samym momencie, dziewczynka krzyknęła: „Pan Ketterley!", a chłopiec krzyknął: „Wuj Andrzej!" – i wiedzieli już, kim są, i zaczęli sobie przypominać całą historię. Po kilku minutach ożywionej rozmowy przypomnieli sobie wszystko. Digory opowiedział o nikczemności wuja Andrzeja.

– Co teraz zrobimy? – zapytała Pola. – Bierzemy tę świnkę morską i wracamy?

– Nie ma się co spieszyć – odrzekł Digory, ziewając.

– A ja myślę, że jest – powiedziała Pola. – Tu jest trochę za cicho i za spokojnie. Jest tak... tak sennie. Ty już prawie śpisz. Boję się, że jeśli zaśniemy, to będziemy tu po prostu leżeć i spać do końca świata.

– To bardzo przyjemne miejsce.

– Tak, bardzo przyjemne. Ale musimy wrócić. – Pola wstała i zaczęła się skradać do świnki morskiej. Ale po chwili zmieniła zamiar.

– Przecież możemy ją tu zostawić – powiedziała. – Tu jest szczęśliwa, a jeśli ją zabierzemy do domu, twój wuj może z nią zrobić coś okropnego.

– Za to mogę dać głowę – zgodził się Digory. – Pomyśl tylko, jak NAS potraktował. Ale właściwie, jak się dostaniemy z powrotem do domu?

– Myślę, że musimy wleźć do tej sadzawki.

Podeszli bliżej i stanęli na brzegu, wpatrując się w gładką powierzchnię, odbijającą zielone, gęsto pokryte liśćmi gałęzie. Sadzawka wyglądała na bardzo głęboką.

– Nie mamy kostiumów kąpielowych – zuważyła Pola.

– A po co nam kostiumy, głupia – roześmiał się Digory. – Przecież wejdziemy do środka w ubraniach. Nie pamiętasz, że były suche, jak z niej wychodziliśmy?

– Umiesz pływać?

— Trochę. A ty?

No... Nie bardzo.

— Nie sądzę, by nam to było potrzebne – stwierdził Digory. – Przecież chcemy zanurzyć się jak najgłębiej, prawda?

Żadne z nich nie było zachwycone myślą o wskoczeniu do sadzawki, ale też żadne nie wypowiedziało tego na głos. Wzięli się za ręce i na „raz – dwa – trzy!" skoczyli, zamykając oczy. Rozległ się głośny plusk. Ale kiedy otworzyli oczy, stwierdzili, że wciąż stoją, trzymając się za ręce, w zielonym lesie – po kostki w wodzie. Sadzawka miała wyraźnie zaledwie kilka cali głębokości. Wyszli z pluskiem na suchy brzeg.

— Co się stało, do licha? – zapytała Pola trochę zaniepokojona, ale nie tak przerażona, jak moglibyście się spodziewać, bo w tym lesie trudno się było naprawdę czegoś bać. Był zbyt spokojny i ciepły.

— Och! Już wiem! – zawołał Digory. – No jasne, to nie może działać. Mamy wciąż na palcach te żółte obrączki. Pamiętasz, mówiłem ci, że one służą do podróży w tę stronę. Żeby wrócić, trzeba użyć zielonych. Musimy je zamienić. Masz kieszenie? Dobrze. Włóż swoją obrączkę do lewej kieszeni. Mam tu w prawej kieszeni dwie zielone. O, jedna jest dla ciebie.

Włożyli na palce zielone obrączki i znowu stanęli na krawędzi sadzawki. Ale zanim skoczyli, Digory krzyknął.

— Co się stało? – zapytała Pola.

— Wpadła mi do głowy wspaniała myśl. Czym, według ciebie, są te wszystkie sadzawki?

— Nie rozumiem…

— No, przecież pomyśl, jeśli możemy wrócić do naszego świata, skacząc do TEJ sadzawki, to czy nie możemy znaleźć się zupełnie gdzie indziej, skacząc do innej? Załóżmy, że na dnie każdej jest jakiś świat.

— Ale ja myślałam, że my już jesteśmy w tym Innym Świecie czy Innym Miejscu, jak to nazywał wuj Andrzej. Przecież sam powiedziałeś, że…

— Ach, guzik mnie obchodzi wuj Andrzej — przerwał jej Digory. — Nie wierzę, żeby w ogóle o tym wiedział. Nigdy nie miał tyle odwagi, by samemu użyć pierścieni. Potrafił tylko mówić o JEDNYM Innym Świecie. A jeśli jest ich mnóstwo?

— To znaczy, że ten las byłby tylko jednym z nich?

— Nie, nie sądzę, żeby był w ogóle jakimś światem. Myślę, że to jest coś w rodzaju międzyświata.

Pola miała nieco głupią minę.

— Nie rozumiesz? — zapytał Digory. — No więc posłuchaj. Pomyśl o naszym ciemnym tunelu pod dachem. To nie jest po prostu jeden z pokojów na poddaszu, należących do któregoś z domów. Ten tunel w pewien sposób w ogóle nie należy do żadnego z domów. Ale gdy do niego wejdziesz, możesz nim iść i wyjść w którymkolwiek domu z całego rzędu. A może ten las jest właśnie czymś takim? Może to jest miejsce, które nie należy do żadnego ze światów, ale gdy się już je znalazło, można z niego przejść do wszystkich?

— No tak… ale nawet jeśli można… — zaczęła Pola, lecz Digory ciągnął dalej, jakby jej nie słyszał:

– I oczywiście to by wszystko wyjaśniało. Właśnie dlatego jest tu tak cicho i sennie. Nic tu się nigdy nie dzieje. Tak jak na Ziemi. To w swoich domach ludzie rozmawiają, robią różne rzeczy, jedzą. A w takich międzymiejscach, za ścianami i nad sufitami, i pod podłogą czy w naszym tunelu, możesz się znaleźć w którymkolwiek z domów. Myślę, że z tego miejsca można się dostać naprawdę wszędzie! Przecież nie musimy skakać z powrotem do tej samej sadzawki, przez którą się tu dostaliśmy. W każdym razie jeszcze nie teraz.

– Las Między Światami – powiedziała Pola rozmarzonym głosem. – To brzmi bardzo ładnie.

– Dalej! – zawołał Digory. – Którą sadzawkę próbujemy?

– Posłuchaj – powiedziała Pola – nie mam zamiaru wypróbować żadnej nowej sadzawki, dopóki nie będę miała pewności, że MOGĘ wrócić przez tę starą. Nawet nie wiemy, czy to działa.

– Tak. Wrócić i zostać złapanym przez wuja Andrzeja, który nam zabierze pierścienie, zanim zdołamy ich użyć. Nie, dziękuję.

– A czy nie możemy wskoczyć do naszej sadzawki i przebyć tylko część drogi w dół? Po prostu, żeby zobaczyć, czy to działa. Jeśli będzie działało, możemy zamienić obrączki i wrócić tu, zanim znajdziemy się na dobre w pracowni pana Ketterleya.

– Przebyć tylko CZĘŚĆ drogi?!

– No przecież wynurzanie się trochę trwało. Myślę, że zanurzanie też trochę potrwa.

Digory'emu pomysł nie bardzo przypadł do gustu, ale w końcu dał za wygraną, bo Pola stanowczo odmówiła udziału w odkrywaniu nowych światów, dopóki nie będzie pewna, że może wrócić do starego. Była dzielną dziewczynką i nie bała się różnych niebezpiecznych rzeczy (na przykład os), ale nie interesowało jej aż tak bardzo odkrywanie czegoś, o czym nikt dotąd nie słyszał. Digory natomiast chciał poznać wszystko. Kiedy dorósł, stał się owym słynnym profesorem Kirke, o którym możecie przeczytać w innych moich książkach.

W końcu po długiej dyskusji uzgodnili, że włożą na palce zielone obrączki, chwycą się za ręce i skoczą. Gdy tylko zaczną się zbliżać do pracowni wuja Andrzeja albo tylko do ich starego świata, Pola ma zawołać „Zamiana!", a wówczas oboje natychmiast zamienią zielone obrączki na żółte. („Teraz już rozumiesz, po co są dwa kolory – powiedział Digory – żeby się nie pomylić".) Digory upierał się, że to on powinien zawołać „Zamiana!", ale Pola postawiła na swoim.

Włożyli zielone obrączki, wzięli się za ręce i na „raz – dwa – trzy!" skoczyli do sadzawki. Tym razem podziałało. Bardzo mi jest trudno opowiedzieć, co czuli, bo wszystko stało się niezwykle szybko. Najpierw zobaczyli jaskrawe światła na tle czarnego nieba. Digory był później przekonany, że widzieli planety i gwiazdy, i przysięgał, że widział z bliska Jowisza, dość blisko, by rozpoznać jego księżyce. Ale prawie w tej samej chwili pojawiły się rzędy dachów i kominów, zobaczyli katedrę Świętego Pawła i zrozumieli, że patrzą na Londyn, tyle że mogli widzieć przez ściany wszystkich domów.

Zobaczyli postać wuja Andrzeja, najpierw bardzo zamgloną i jakby przezroczystą, lecz gęstniejącą i z każdą sekundą coraz bardziej wyraźną, tak jak w soczewce lunety dostrajanej do odległości. Lecz tuż przedtem, zanim stała się prawdziwym, żywym człowiekiem, Pola zdążyła zawołać: „Zamiana!" Szybko zamienili obrączki i nasz świat rozwiał się jak sen, a zielone światło w górze robiło się coraz mocniejsze i mocniejsze, aż w końcu głowy dzieci wynurzyły się nad powierzchnię sadzawki. Wdrapali się na brzeg. A naokoło rósł gęsty las, tak zielony, rozświetlony i cichy jak zawsze. Próbna wyprawa nie trwała dłużej niż minutę.

– No i co? – zawołał Digory. – Wszystko działa. A teraz: na poszukiwanie przygód! Każda sadzawka jest ich pełna. Wypróbujmy tę.

– Poczekaj! – Pola złapała go za rękaw. – Czy nie powinniśmy zaznaczyć TEJ sadzawki?

Spojrzeli na siebie i twarze im pobladły, gdy zrozumieli, co chciał przed chwilą zrobić Digory. Bo przecież w lesie były tysiące sadzawek, a wszystkie jednakowe, podobnie jak drzewa, więc gdyby tylko raz opuścili sadzawkę prowadzącą do naszego świata bez zrobienia przy niej jakiegoś znaku, to szansa ponownego jej odnalezienia równałaby się w najlepszym razie jednej do stu.

Digory'emu ręce się trochę trzęsły, gdy otwierał scyzoryk i wycinał długi pas darni na brzegu sadzawki. Gleba pachniała przyjemnie, a jej kolor – czerwonobrązowy – wyraźnie się odcinał od zieleni trawy.

– To dobrze, że przynajmniej JEDNO z nas ma trochę oleju w głowie – powiedziała Pola.

— Nie musisz się tym wciąż chwalić — burknął Digory. — A w ogóle nie marudź, okropnie jestem ciekawy, co nas czeka w jednej z tych sadzawek.

Pola odpowiedziała mu coś niezbyt miłego, a on odpowiedział jej jeszcze bardziej ostro. Sprzeczka trwała kilka minut, ale nie sądzę, by warto było dokładnie ją opisywać. Przejdźmy od razu do chwili, w której oboje stali już — z bijącymi sercami i nieco przerażonymi twarzami — na krawędzi nieznanej sadzawki, z żółtymi obrączkami na palcach. Raz jeszcze chwycili się za ręce i raz jeszcze zawołali: „Raz — dwa — trzy!"

Plusk! I raz jeszcze okazało się, że wskoczyli do kałuży. Zamiast znaleźć się w nowym świecie, stali znowu po kostki w wodzie, już drugi raz tego ranka (jeżeli to był ranek; w Lesie Między Światami pora dnia wydawała się nigdy nie zmieniać).

— Niech to piorun trzaśnie! — zawołał Digory. — Co się tym razem stało? Przecież włożyliśmy żółte obrączki. Wuj mówił, że żółte służą do podróży na zewnątrz.

Prawda była taka, że wuj Andrzej, który nie miał zielonego pojęcia o istnieniu Lasu Między Światami, mylił się też co do właściwości pierścieni. Żółte nie oznaczały wcale „na zewnątrz", a zielone nie oznaczały „z powrotem", w każdym razie nie w ten sposób, jak myślał. Wszystkie pierścienie zrobione były z pyłu, który pochodził z tego właśnie Lasu. Ale jedynie materiał, z którego zrobiono żółte pierścienie, miał moc przenoszenia każdego do Lasu: był to pył, który chciał wrócić na swoje miejsce, czyli do Międzyświata. Natomiast materiał, z którego były zrobione zielone pierścienie – przeciwnie: chciał opuścić swoje dawne miejsce, dlatego też zielony pierścień przenosił właściciela z Lasu do jakiegoś świata. Jak widzicie, wuj Andrzej zajmował się rzeczami, których do końca nie rozumiał, jak zresztą bywa z większością czarodziejów. Oczywiście Digory też nie znał dobrze właściwości pierścieni, ale kiedy przedyskutował z Polą wszystkie możliwości, postanowili wypróbować zielone z nową sadzawką, po prostu po to, żeby zobaczyć, co się stanie.

– Jeśli ty się nie boisz, to i ja nie – powiedziała Pola. Nie oznacza to, że była taka odważna. Tak naprawdę, w głębi serca, była teraz pewna, że w nowej sadzawce nie działają ani żółte, ani zielone pierścienie, więc nie ma się czego bać. Nie jestem całkiem pewien, czy Digory nie myślał podobnie. W każdym razie, kiedy włożyli zielone obrączki na palce, stanęli na krawędzi sadzawki i wzięli się za ręce, z całą pewnością czuli się o wiele lepiej i o wiele mniej uroczyście niż za drugim razem.

– Raz – dwa – trzy! Naprzód! – zawołał Digory. I skoczyli.

ROZDZIAŁ 4

Dzwon i młotek

TYM RAZEM NIE MIELI ŻADNYCH WĄTPLIWOŚCI. Czary działały. Opadali z wielką szybkością w dół, najpierw przez ciemność, potem przez jakąś plątaninę mglistych i wirujących kształtów, które mogły być prawie wszystkim. Robiło się coraz jaśniej. A potem nagle poczuli, że stoją na czymś stałym i twardym. W chwilę później wszystko wyostrzyło się jak w soczewce i mogli zobaczyć, gdzie są.

– Co to za dziwne miejsce! – powiedział Digory.

– Nie bardzo mi się tu podoba – wyznała Pola, lekko się wzdrygając.

Pierwszą rzeczą, na jaką zwrócili uwagę, było oświetlenie. Nie przypominało ani światła słonecznego, ani światła elektrycznego, ani gazowej latarni, ani świec, ani żadnego innego światła, jakie znali. Dziwnie nieruchome, czerwonawe światło sprawiało raczej przygnębiające wrażenie. Stali na wielkim, wyłożonym kamiennymi płytami placu, otoczonym wyniosłymi budowlami. Niebo było niezwykle ciemne: tak granatowe, prawie czarne, że aż można było się dziwić, skąd w ogóle bierze się tu światło.

– Tu jest jakaś dziwna pogoda – zauważył Digory.

– Może wylądowaliśmy w czasie burzy albo podczas zaćmienia słońca?

– Nie podoba mi się tu – powtórzyła Pola.

Oboje mówili szeptem, choć nie bardzo wiedzieli dlaczego. Nie było już powodu, by trzymać się za ręce, ale nie puszczali swych dłoni.

Kamienny plac czy dziedziniec otaczały ze wszystkich stron wysokie ściany. Z wielu ogromnych okien bez szyb ziało nieprzeniknioną ciemnością. Na dole otwierały się pod półkolistymi łukami czarne czeluście, podobne do wylotów kolejowych tuneli. Było chłodno.

Wszystko tu zbudowano z kamienia, który wyglądał na czerwony, ale może tak się zdawało z powodu owego dziwnego oświetlenia. Budowle były z pewnością bardzo stare. Wiele kamiennych płyt, jakimi wyłożono dziedziniec, popękało, a żadna nie przylegała ciasno do drugiej, rogi miały przeważnie zniszczone. Jeden ze sklepionych otworów wypełniał do połowy gruz. Dzieci obracały się wokoło, przyglądając się uważnie wszystkim bokom dziedzińca. Nietrudno zgadnąć dlaczego: po prostu bały się, że ktoś – lub coś – obserwuje je z owych czarnych okien, kiedy są odwrócone tyłem.

– Myślisz, że ktoś tutaj mieszka? – szepnął Digory.

– Nie – odpowiedziała Pola. – To wszystko ruiny. Odkąd tu jesteśmy, nie rozległ się żaden dźwięk.

– Nie ruszajmy się przez chwilę i posłuchajmy – zaproponował Digory.

Zamarli bez ruchu, ale usłyszeli jedynie bicie własnych serc. Panował tu taki spokój jak w Lesie Między Światami. Tylko że był to inny rodzaj spokoju. W bogatej, ciepłej i pełnej życia ciszy Lasu prawie się słyszało, jak rosną drzewa, natomiast tu, w ciszy martwej, zimnej i pustej, trudno było sobie wyobrazić, że coś rośnie.

– Lepiej wracajmy – powiedziała Pola.

– Przecież niczego jeszcze nie zobaczyliśmy. Skoro już tu jesteśmy, powinniśmy trochę się rozejrzeć.

– Jestem pewna, że nie ma tu nic ciekawego.

– Co za korzyść ze znalezienia magicznego pierścienia, pozwalającego podróżować do innych światów, skoro nie masz odwagi na nie patrzeć?

– Kto tu mówi o braku odwagi? – zapytała Pola, puszczając rękę Digory'ego.

– Miałem na myśli to, że jakoś nie wykazujesz ochoty do zbadania tego miejsca.

– Pójdę tam, gdzie ty.

– Możemy przecież w każdej chwili wrócić. Zdejmijmy zielone obrączki i włóżmy je do prawych kieszeni. Wystarczy tylko pamiętać, że żółte są w lewych. Możesz trzymać rękę tak blisko lewej kieszeni, jak chcesz, tylko nie wkładaj jej do środka, bo możesz dotknąć żółtej obrączki i zniknąć.

Zrobili tak i podeszli wolno do jednego z owych wielkich, sklepionych otworów, prowadzących do wnętrza budowli. A kiedy stanęli na progu i zajrzeli do środka, stwierdzili, że nie jest tam tak ciemno, jak się wydawało. Wejście prowadziło do olbrzymiej, mrocznej i pustej sali. Na samym końcu majaczył rząd kolumn

połączonych łukami, a spoza nich padało nieco więcej owego dziwnego, jakby dogasającego światła. Przeszli przez salę, stąpając ostrożnie w obawie przed dziurami w posadzce lub jakimiś niewidocznymi przeszkodami. Po długim marszu minęli wreszcie kolumny i znaleźli się na innym, jeszcze większym dziedzińcu.

– To nie wygląda zbyt bezpiecznie – powiedziała Pola, wskazując na miejsce, w którym ściana wybrzuszyła się, jakby miała za chwilę runąć na dziedziniec. W innym miejscu między kamiennymi łukami brakowało jednej kolumny, a płyta, która kiedyś na niej spoczywała, groźnie się obniżyła. Nie ulegało wątpliwości, że miejsce to opuszczono przed setkami, a może i tysiącami lat.

– Jeśli utrzymało się dotąd, to myślę, że jeszcze wytrzyma – rzekł Digory. – Ale musimy być cicho. Chyba wiesz, że hałas może czasem wywołać nieobliczalne skutki. Tak właśnie spadają w Alpach lawiny.

Z tego dziedzińca weszli znowu do wnętrza jakiegoś budynku, potem wspięli się po monumentalnych schodach, a potem szli i szli przez wielkie pokoje otwierające się jeden po drugim, aż w końcu oszołomiła ich wielkość tej budowli. Raz po raz spodziewali się jej końca, pragnąc wyjść wreszcie na otwartą przestrzeń i zobaczyć, w jakim właściwie miejscu położony jest ten gigantyczny pałac. Ale za każdym razem wychodzili tylko na jeszcze jeden wielki dziedziniec. Na jednym z nich musiała być kiedyś fontanna. Stał tam olbrzymi kamienny potwór z szeroko rozpostartymi skrzydłami i z otwartą paszczą, a w niej wciąż widniały końce rurek, którymi kiedyś tryskała woda. Pod posągiem znajdował się kamienny basen na wodę – teraz zupełnie suchy. W innym miejscu napotkali zeschłe łodygi jakiejś pnącej rośliny, która kiedyś oplatała kolumny i zapewne przyspieszyła ich ruinę. Ale roślina ta zamarła dawno, dawno temu. Nie spostrzegli też nawet śladu mrówek czy pająków, czy innych owadów, jakich można się spodziewać w ruinach, a tam, gdzie między pokruszonymi głazami pokazała się sucha ziemia, nie wyrastała ani trawa, ani mech.

Wszystko to wyglądało tak ponuro i monotonnie, że nawet Digory zaczął już myśleć, że dobrze byłoby wło-

żyć żółte obrączki i wrócić do ciepłego, zielonego, żywego Lasu Między Światami, kiedy doszli do olbrzymich wrót z metalu, który wyglądał na złoto. Jedno skrzydło było uchylone, więc oczywiście zajrzeli do środka. Natychmiast jednak odskoczyli, wstrzymując oddech, bo wreszcie napotkali coś godnego zobaczenia.

Przez chwilę sądzili, że sala jest pełna ludzi – setek ludzi siedzących nieruchomo na wysokich tronach. Nietrudno się domyślić, że oboje stali w milczeniu, nie mając odwagi się poruszyć. Wkrótce doszli jednak do przekonania, że nie mogą to być żywi ludzie. W każdym razie nie dostrzegli najmniejszego ruchu i nie usłyszeli najlżejszego westchnienia. Siedzące postacie sprawiały wrażenie najdoskonalszych figur woskowych, jakie sobie można wyobrazić.

Tym razem Pola pierwsza weszła do środka. W tej sali znajdowało się coś, co interesowało ją bardziej niż Digory'ego: wszystkie postacie ubrane były w cudowne szaty. Jeśli się tylko lubiło stroje, po prostu nie można było się powstrzymać, by nie podejść i nie obejrzeć ich z bliska. Blask ich barw czynił wnętrze tej sali –

no, może nie radosnym, ale w każdym razie bogatym i dostojnym po tych wszystkich zakurzonych i pustych wnętrzach, jakie dotychczas mijali.

Trudno mi nawet opisać te stroje. Wszystkie postacie miały na sobie długie szaty i korony na głowach. Szaty były szkarłatne i srebrzyste, ciemnopurpurowe i soczystozielone, wyhaftowane we wspaniałe ornamenty, kwiaty i dziwne zwierzęta. W koronach, broszach i zapinkach, w łańcuchach i naszyjnikach połyskiwały drogie kamienie o zadziwiających rozmiarach i kolorach.

— Jak się to dzieje, że te stroje już dawno nie zbutwiały? — zapytała Pola.

— To czary — szepnął Digory. — Nie czujesz tego? Założę się, że w tej sali jest aż gęsto od magicznych zaklęć. Czuję to od pierwszej chwili.

— Każda z tych sukni warta jest setki funtów — powiedziała Pola.

Ale Digory'ego bardziej ciekawiły twarze, a trzeba przyznać, że warte były obejrzenia. Postacie siedziały na kamiennych tronach ustawionych szeregiem pod każdą ścianą. Środek sali był pusty, mogli więc obejść ją dookoła i przyjrzeć się wszystkim twarzom.

— Myślę, że to byli całkiem MILI ludzie — zauważył Digory.

Pola kiwnęła głową. Wszystkie twarze, na jakie teraz patrzyli, były z pewnością miłe. Zarówno kobiety, jak i mężczyźni mieli uprzejmy i mądry wyraz twarzy, widać też było, że pochodzą z rasy pięknych ludzi. Ale kiedy dzieci zrobiły kilkanaście kroków wzdłuż szeregu tronów, zauważyły, że tu twarze są już nieco inne.

Czuły, że gdyby spotkały żywych ludzi o podobnych obliczach, musiałyby uważać na to, co mówią. Pola i Digory przeszli jeszcze dalej i tu, prawie w połowie sali, zobaczyli twarze, które już im się zupełnie nie podobały: twarze ludzi silnych, dumnych i zadowolonych, lecz okrutnych. A im dalej szli, tym więcej widzieli w twarzach okrucieństwa i mniej zadowolenia, aż doszli do miejsca, w którym na skamieniałych obliczach malowała się prawdziwa rozpacz, jakby ci ludzie popełnili straszliwe zbrodnie i ponieśli za nie równie straszne kary. Ostatnia postać okazała się najbardziej interesująca: kobieta ubrana z największym przepychem, bardzo wysoka (zresztą wszystkie postacie były wyższe od ludzi w naszym świecie), a twarz miała tak srogą i dumną, że aż dech zapierało. A jednak była również piękna. Po wielu, wielu latach Digory, już jako stary człowiek, powiedział, że nigdy, w całym swoim życiu, nie widział równie pięknej kobiety. Tak mówił Digory, ale uczciwie trzeba dodać, że Pola nie podzielała jego zdania.

Ta kobieta, jak już powiedziałem, była ostatnia: za nią ciągnął się szereg pustych kamiennych tronów, jakby sala pomyślana została dla o wiele większej kolekcji posągów.

— Bardzo bym chciał poznać historię, która kryje się za tym wszystkim — rzekł Digory. — Ale wróćmy i obejrzyjmy ten dziwny stół pośrodku sali.

Właściwie nie był to stół, ale raczej niski, mający nieco ponad metr kamienny postument o kwadratowym przekroju. Z jego szczytu wyrastał niewielki złoty ostrołuk, na którym wisiał złoty dzwon. Obok leżał złoty młotek. Nietrudno było się domyślić, do czego służy.

– Myślę... myślę... i bardzo jestem ciekaw, co by... – zaczął mówić Digory, lecz Pola przerwała mu, pochylając się i przyglądając uważnie jednemu z boków postumentu.

– Tu jest chyba coś napisane.

– O holender! Rzeczywiście! Tylko że, niestety, i tak nic z tego nie zrozumiemy.

– Nic? Nie jestem taka pewna...

Wlepili oczy w dziwaczne litery wykute w kamieniu i oto stało się coś dziwnego: kształt liter wcale się nie zmienił, ale oni czytali je teraz zupełnie swobodnie. Gdyby Digory pamiętał, co sam powiedział kilka minut temu, łatwo by wywnioskował, że zaczyna działać jedno z magicznych zaklęć, jakie wyczuł, wchodząc do tej sali. Tak był jednak podniecony i przejęty, że w ogóle o tym nie pomyślał. Teraz pochłaniała go tylko jedna myśl: poznać treść tajemniczego napisu. I wkrótce oboje ją poznali. A było tam napisane mniej więcej coś takiego (w każdym razie, jeśli chodzi o sens, bo jakość rymów była na pewno o wiele lepsza):

> *Wybieraj, śmiałku z obcych stron:*
> *Uderz w ten dzwon*
> *I czekaj na niebezpieczeństwa*
> *Lub do szaleństwa*
> *Łam sobie głowę, co byś przeżył,*
> *Gdybyś uderzył.*

– Nigdy w życiu! – zawołała Pola. – Nie chcemy żadnych niebezpieczeństw!

– Och, czy nie rozumiesz, że tak nie można? Teraz po prostu nie możemy tego tak zostawić. Przez całe życie łamalibyśmy sobie głowę, co by się stało, gdybym uderzył w dzwon. Nie mam zamiaru wrócić do domu i zwariować, myśląc wciąż o tej tajemnicy. Nigdy w życiu!

– Nie bądź głupi. Dlaczego ci tak zależy, żeby wiedzieć, co się stanie?

– Myślę, że każdy, kto zaszedł tak daleko jak my, po prostu musi się tego dowiedzieć, jeżeli nie chce dostać bzika. Na tym polegają czary tego miejsca. Czuję, że zaczynają na mnie działać.

– A na mnie nie – oświadczyła chłodno Pola. – I wcale nie wierzę, że działają na ciebie. Tylko tak udajesz.

– Tak, jedynie to ci przychodzi do głowy. Nic dziwnego, jesteś dziewczynką. Nic was nigdy nie interesuje, prócz plotek i bzdur o ludziach, którzy się zaręczają.

– Kiedy tak mówisz, przypominasz do złudzenia wuja Andrzeja.

– Dlaczego ty zawsze zaczynasz mówić o czymś innym? – zdenerwował się Digory. – Przecież rozmawiamy o...

– Mówisz jak każdy mężczyzna! – zawołała Pola bardzo dorosłym tonem, ale zaraz dodała swoim prawdziwym głosem: – I nie mów mi, że jestem jak wszystkie kobiety, bo... bo będziesz po prostu ohydną małpą!

– Nigdy by mi do głowy nie przyszło, żeby nazywać takiego dzieciaka jak ty kobietą – powiedział Digory wyniosłym tonem.

– Ach, tak, więc jestem dzieciakiem, tak? – warknęła Pola i wyglądała na naprawdę wściekłą. – No więc nie musisz sobie więcej tym dzieciakiem zawracać głowy. Żegnam. Mam dosyć tego miejsca. I mam dosyć ciebie – ty wstrętna, zarozumiała, uparta świnio!

– Ani się waż! – wrzasnął Digory głosem jeszcze bardziej wściekłym, niż chciał, bo oto ręka Poli zbliżała się już do lewej kieszeni. Nie będę mu robił zarzutu z tego, co uczynił w następnej chwili, powiem tylko, że później sam tego bardzo żałował (zresztą, niestety, nie on jeden!) Zanim ręka Poli dotknęła kieszeni, schwycił ją mocno za przegub i przywarł plecami do jej piersi. Odpychając łokciem jej drugą rękę, wychylił się do przodu, chwycił młotek i uderzył nim lekko w złoty dzwon. Dopiero wtedy ją puścił i odsunął się na bok. Patrzyli na siebie w milczeniu, dysząc ciężko. Pola była bliska płaczu, bynajmniej nie ze strachu ani nawet z powodu silnego bólu w przegubie lewej ręki, ale z dzikiej złości. Nie minęły jednak nawet dwie sekundy, gdy oboje byli już tak zajęci czymś innym, że kłótnia zupełnie wyleciała im z głowy.

Uderzony młotkiem dzwon wydał niezbyt głośny, ale bardzo czysty dźwięk. Na razie nie było w tym nic nadzwyczajnego: takiego właśnie dźwięku należało się spodziewać. Ale ów dźwięk nie zamarł po chwili, wciąż trwał w powietrzu, a gdy tak trwał, stawał się coraz głośniejszy. Zanim minęła minuta, był już dwukrotnie silniejszy niż na samym początku. Wkrótce brzmiał tak głośno, że gdyby dzieci próbowały teraz ze sobą rozmawiać (chociaż wcale nie myślały o rozmowie, po prostu stały z szeroko otwartymi ustami), to nie słyszałyby się nawzajem. A potem dźwięk stał się tak donośny, że jedno nie usłyszałoby drugiego, nawet gdyby krzyczeli. Ale na tym nie koniec: dźwięk potężniał z każdą chwilą, wciąż na tej samej nucie, wciąż bardzo czysty i melodyjny – choć ta czystość i melodyjność miała teraz w sobie coś strasznego – aż w końcu powietrze w wielkiej sali zaczęło od niego wibrować, a dzieci czuły, jak pod ich stopami drży posadzka. A potem dołączył się do niego inny dźwięk, odległy i ponury, który z początku przypominał huk dalekiego pociągu, a później łoskot padających na ziemię drzew. Aż w końcu, z nagłym podmuchem i grzmotem, ze wstrząsem, który prawie zwalił ich z nóg, bez mała ćwierć sklepienia runęło do środka, kamienie i olbrzymie bryły zaprawy potoczyły się dokoła, a ściany popękały z głośnym trzaskiem. Dźwięk dzwonu się urwał. Chmury pyłu opadły. Zapanowała martwa cisza.

Nigdy się nie dowiedzieli, czy sklepienie runęło na skutek działania czarów, czy też ów nieznośny dźwięk złotego dzwonu osiągnął taką moc, jakiej nadgryzione zębem czasu ściany nie mogły wytrzymać.

– No i masz! Mam nadzieję, że jesteś zadowolony – wysapała Pola.

– W każdym razie już po wszystkim – powiedział Digory.

I oboje byli o tym święcie przekonani, choć nigdy jeszcze tak się nie pomylili.

ROZDZIAŁ 5

Żałosne słowo

DZIECI PATRZYŁY NA SIEBIE ponad kamiennym postumentem. Dzwon wciąż jeszcze drżał, choć nie wydawał już żadnego dźwięku. Nagle usłyszały jakiś szelest, dochodzący z drugiego, niezniszczonego końca sali. Odwrócili się błyskawicznie. Jedna z postaci, ostatnia ze wszystkich, owa kobieta, która wydała się Digory'emu tak piękna, podniosła się ze swego tronu. Kiedy powstała, okazała się jeszcze wyższa, niż przedtem sądzili. I od razu można było poznać, nie tylko po koronie i wspaniałych szatach, ale i po błysku jej oczu i dumnym kształcie warg, że jest wielką królową. Popatrzyła po sali, zobaczyła ruinę i zobaczyła dzieci, ale wyraz jej twarzy nie pozwalał odgadnąć, co o tym pomyślała lub nawet czy była tym zaskoczona. Potem podeszła do nich szybkimi, długimi krokami.

– Kto mnie obudził? Kto złamał zaklęcie? – zapytała.

– To chyba ja – odpowiedział Digory.

– Ty? – rzekła królowa, kładąc rękę na jego ramieniu. Była to piękna, biała ręka, ale jej palce zacisnęły się jak stalowe szczypce. – Ty? – powtórzyła. – Jesteś przecież dzieckiem, pospolitym dzieckiem. Już na pierwszy rzut oka można poznać, że w twoich żyłach nie płynie ani jedna kropla królewskiej lub choćby tylko szlachetnej krwi. Jak ktoś taki jak ty ośmielił się wejść do tego domu?

— Przybyliśmy tu z innego świata, dzięki czarom — powiedziała Pola, która doszła do wniosku, że już najwyższy czas, by królowa zwróciła na nią uwagę.

— Czy to prawda? — zapytała królowa, wciąż patrząc na Digory'ego i zdając się nie zauważać obecności Poli.

— Tak, to prawda — wyjąkał.

Królowa schwyciła go za podbródek i uniosła jego twarz, wpatrując się w nią uważnie. Digory próbował odwzajemnić spojrzenie, ale bardzo szybko spuścił oczy. Coś w niej onieśmielało go i przytłaczało. Po chwili puściła jego brodę i powiedziała:

– Ty nie jesteś czarodziejem. Nie masz znaków. Możesz być najwyżej sługą czarodzieja. Ktoś inny musiał was tutaj przysłać.

– To mój wuj Andrzej – rzekł Digory.

W tym momencie gdzieś blisko, ale poza salą, rozległo się najpierw dudnienie, potem trzask, a potem huk walących się murów. Posadzka zadrżała.

– Tu nie jest bezpiecznie – powiedziała królowa. – Cały pałac się wali. Jeżeli nie wyjdziemy stąd w ciągu kilku minut, zostaniemy pogrzebani pod ruinami. – Mówiła z takim spokojem, jakby oznajmiała, która jest godzina. – Chodźcie – dodała i wyciągnęła obie ręce do dzieci. Pola, której królowa wcale się nie podobała, nie pozwoliłaby się wziąć za rękę, gdyby tylko mogła. Ale chociaż królowa przemawiała z takim spokojem, jej ruchy były szybkie jak myśl. Zanim Pola spostrzegła, co się dzieje, jej lewa ręka została pochwycona przez dłoń o wiele większą i silniejszą od jej własnej.

„To okropna kobieta – pomyślała. – Jest tak silna, że na pewno wyłamałaby mi ramię jednym ruchem. I trzyma mnie za lewą rękę, tak że nie mogę sięgnąć po żółtą obrączkę. Jeśli sięgnę prawą ręką do lewej kieszeni, mogę nie zdążyć jej wyciągnąć, zanim ta wiedźma zapyta mnie, co robię. A w żadnym razie nie możemy jej zdradzić, że mamy te pierścienie. Mam nadzieję, że Digory ma chociaż tyle oleju w głowie, żeby trzymać język za zębami. Dobrze by było zamienić z nim parę słów bez świadków".

Królowa poprowadziła ich z Sali Posągów do długiego korytarza, a potem przez labirynt sal, schodów i dziedzińców. Co jakiś czas słyszeli huk walących się ścian i sufitów, niekiedy zupełnie blisko. Raz jakiś olbrzymi łuk runął na ziemię w chwilę potem, jak pod nim przeszli. Królowa szła szybko – dzieci prawie biegły, aby dotrzymać jej kroku – ale nie okazywała najmniejszego lęku. „Ależ ona jest odważna – myślał Digory. – I silna. To jest dopiero prawdziwa królowa! Mam nadzieję, że opowie nam historię tego dziwnego miejsca".

Piękna pani rzeczywiście opowiedziała im trochę o pałacu, ale były to tylko zdania wypowiadane po drodze: „To są drzwi do lochów" albo: „To była stara sala rycerska, gdzie mój dziad zabił siedmiuset baronów podczas uczty. Buntownicze myśli chodziły im po głowie".

Doszli w końcu do sali największej i najbardziej dostojnej ze wszystkich, jakie dotąd zobaczyli. Sądząc po jej rozmiarach i po olbrzymich drzwiach na dalekim końcu, musieli wreszcie dojść do głównego wejścia do pałacu. Drzwi były matowoczarne, jakby z hebanu lub jakiegoś czarnego metalu, nieznanego w naszym świecie. Zamykały je potężne sztaby umocowane zbyt wysoko, by ich dosięgnąć, i z całą pewnością zbyt ciężkie, by je można było podnieść. Digory zastanawiał się, w jaki sposób stąd wyjdą.

Królowa puściła jego dłoń i podniosła rękę. Wyprostowała się i stała przez chwilę bez ruchu. Potem wypowiedziała kilka słów, których nie zrozumieli (ale

brzmiały strasznie), i wykonała gest, jakby rzucała czymś w czarne drzwi. I oto na ich oczach te olbrzymie, ciężkie wrota rozpadły się i znikły, pozostawiając po sobie jedynie trochę pyłu na progu. Digory gwizdnął z podziwu.

– Czy ten mistrz magii, twój wuj, ma taką moc jak ja? – zapytała królowa, chwytając go ponownie za rękę. – Ale dowiem się tego później. A tymczasem zapamiętaj sobie to, co widziałeś. Taki jest los wszystkich rzeczy i ludzi, jeśli staną na mojej drodze.

Przez otwór po unicestwionych wrotach wlewało się światło tak jasne, że nie byli zaskoczeni, gdy po wyjściu z pałacu znaleźli się na otwartej przestrzeni. W twarze wionął im wiatr, chłodny, lecz jakby nieco stęchły. Stali na wielkim tarasie, a przed nimi rozciągał się ponury, rozległy krajobraz.

Tuż nad horyzontem wisiało olbrzymie, czerwone słońce, o wiele większe niż nasze. Digory pomyślał od razu, że jest również starsze od naszego: słońce u schyłku swego życia, zmęczone spoglądaniem na ten świat. Nieco powyżej słońca, na lewo od jego tarczy, płonęła samotna gwiazda, wielka i jasna. Te dwa obiekty, tworzące dziwnie posępną konstelację, były jedynymi światłami na czarnym niebie. A na ziemi, aż do widnokręgu, rozciągało się potworne, martwe miasto. Świątynie, wieże, pałace, piramidy i mosty – niekończący się labirynt ostrych kształtów rzucających długie, złowrogie cienie w świetle obumierającego słońca. Kiedyś przez miasto musiała płynąć wielka rzeka, ale woda dawno wyschła, pozostawiając tylko szeroki rów pełen szarego pyłu.

– Przypatrzcie się dobrze temu, czego żadne oko nigdy już nie zobaczy – powiedziała królowa. – Takie było Charn, wielkie miasto, miasto króla królów, jeden z cudów tego świata, a może i wszystkich światów. Czy twój wuj panuje nad miastem tak wielkim jak to, chłopcze?

– Nie – odrzekł Digory. Zamierzał wyjaśnić, że wuj Andrzej nie włada żadnym miastem, ale królowa mówiła dalej:

– Teraz jest tu cicho. Ale stałam w tym samym miejscu, gdy powietrze pełne było odgłosów miasta

Charn: stukotu obcasów i turkotu kół, trzaskania batów i jęku niewolników, łoskotu rydwanów i dudnienia ofiarnych bębnów w świątyniach. Stałam tutaj... lecz wtedy koniec był już bliski... gdy ryk bitewny unosił się w każdej ulicy, a rzeka spływała krwią. – Zamilkła na chwilę, po czym dodała: – I w jednym momencie jedna kobieta wykreśliła je z historii na zawsze.

– Kto to był? – zapytał Digory słabym głosem, choć przeczuwał już, jaka będzie odpowiedź.

– Ja – powiedziała królowa. – Ja, Jadis, ostatnia królowa, Królowa Świata.

Dwoje dzieci stało w milczeniu, drżąc na zimnym wietrze.

– To z winy mojej siostry – mówiła dalej królowa. – To ona przywiodła mnie do tego. Niech przekleństwo wszystkich Potęg ściga ją na wieki! W każdej chwili byłam gotowa do zawarcia pokoju, tak, do pokoju i do oszczędzenia jej życia, pod warunkiem że odda mi tron. Ale ona nie chciała. To jej duma zniszczyła ten świat. Nawet wówczas, gdy zaczęła się wojna, obie strony przyrzekły uroczyście, że nie będą używały magii. Lecz gdy ona złamała przyrzeczenie, cóż mi pozostało? Głupia! Jak gdyby nie wiedziała, że moja potęga magiczna jest większa! Wiedziała nawet to, że znam tajemnicę Żałosnego Słowa. Czyżby się spodziewała... sama zawsze miała słabą wolę... że go nie użyję?

– Co to było? – zapytał Digory.

– To była największa ze wszystkich tajemnic. Od dawien dawna wszyscy wielcy królowie naszej rasy wiedzieli, że istnieje pewne słowo, które, wypowiedziane z odpowiednimi obrzędami, zniszczy cały świat prócz osoby, która je wypowie. Ale nasi starożytni królowie byli słabi i lękliwi. Zobowiązali siebie i wszystkich, którzy po nich przyjdą, do złożenia przysięgi, że nigdy nie będą poszukiwać tego słowa. A ja poznałam to słowo w tajemnym miejscu, choć zapłaciłam za to straszliwą cenę. Nigdy bym go nie wypowiedziała, gdyby ona mnie do tego nie zmusiła. Walczyłam i walczyłam, aby pokonać ją w inny sposób. Przelałam morze krwi moich wojowników…

— Potwór! – mruknęła Pola.

— …a ostatnia wielka bitwa trwała przez trzy dni, tutaj, w Charnie. Przez trzy dni patrzyłam na to z tego oto miejsca. I nie użyłam swojej potęgi dopóty, dopóki nie padł ostatni z moich żołnierzy, a ta przeklęta kobieta, moja siostra, była już w połowie schodów wiodących na taras, na czele swoich buntowników. Czekałam, aż będzie tak blisko, że zobaczymy swoje twarze. Utkwiła we mnie swoje okropne, nikczemne oczy i powiedziała: „Zwycięstwo!" „Tak – odpowiedziałam – zwycięstwo, tylko że nie twoje". I wtedy wypowiedziałam Żałosne Słowo. W chwilę później byłam jedyną żywą istotą pod słońcem.

— A ludzie? – zapytał Digory, dysząc ciężko.

— Jacy ludzie, chłopcze?

— Wszyscy zwykli ludzie – powiedziała Pola – którzy nigdy nie zrobili ci nic złego. Mężczyźni i kobiety, dzieci i zwierzęta.

— Czy ty nie rozumiesz? – Królowa wciąż zwracała się do Digory'ego. – Ja byłam królową. Oni byli

MOIMI ludźmi. PO CÓŻ innego w ogóle istnieli, jeśli nie po to, by spełniać moją wolę?

– W każdym razie ich los był straszny – zauważył Digory.

– Zapomniałam, że jesteś tylko małym, pospolitym chłopcem. Nie możesz zrozumieć Racji Stanu. Musisz się nauczyć, moje dziecko, że to, co może być złem dla ciebie lub dla któregokolwiek ze zwykłych ludzi, nie musi być złem dla tak wielkiej królowej jak ja. Ciężar całego świata spoczywa na naszych ramionach. Nas nie mogą dotyczyć wszystkie te prawa i zasady. Przeznaczeniem nas, wielkich samotników, są wyższe sprawy.

Digory przypomniał sobie nagle, że wuj Andrzej użył dokładnie tych samych słów. Gdy wypowiadała je królowa Jadis, brzmiały jednak jeszcze bardziej wzniośle i uroczyście, może dlatego, że wuj Andrzej nie miał dwu metrów wzrostu i nie był oszałamiająco piękny.

– I co później zrobiłaś? – zapytał.

– Już dawniej rzuciłam czar na salę, w której siedzą posągi moich przodków. Dzięki wiedzy tajemnej mogłam zasnąć wśród nich, podobna do jednej z tych figur, nie potrzebując ani jedzenia, ani ciepła. I minęło tysiąc lat, zanim ktoś przyszedł, uderzył w dzwon i obudził mnie.

– Czy to Żałosne Słowo sprawiło, że słońce jest takie?

– Jakie? – zapytała Jadis.

– Takie wielkie, czerwone i zimne.

– Zawsze takie było. W każdym razie w ciągu ostatnich setek tysięcy lat. Czy w waszym świecie słońce jest inne?

– Tak, jest mniejsze i złociste. I daje o wiele więcej ciepła.

Królowa wydała z siebie długie „a-a-a-ach!" i Digory zauważył, że na jej twarzy pojawił się ten sam pożądliwy, zły wyraz, jaki widział już na twarzy wuja Andrzeja.

– Ach, tak – powtórzyła. – A więc wasz świat jest młodszy.

Popatrzyła jeszcze raz na martwe miasto u jej stóp – a jeśli żałowała w tej chwili zniszczenia, jakiego dokonała, to nie dała tego po sobie poznać – i powiedziała:

– Czas wyruszyć w drogę. Ten świat stygnie. U schyłku dziejów robi się tu coraz zimniej.

– W drogę? Ale dokąd? – zapytały dzieci.

– Dokąd? – powtórzyła Jadis z lekkim zdziwieniem. – Oczywiście do waszego świata.

Digory i Pola spojrzeli po sobie z przerażeniem. Poli królowa nie podobała się od samego początku, a i Digory po wysłuchaniu tej opowieści czuł, że ma już dosyć. Z całą pewnością nie był to ten rodzaj osoby, którą chciałoby się zaprosić do swojego domu. A nawet gdyby chcieli, nie mieli pojęcia jak. Jednego pragnęli na pewno: opuszczenia jak najszybciej tego świata. Niestety, Pola wciąż nie mogła sięgnąć po swoją obrączkę, a Digory nie mógł, rzecz jasna, wrócić bez niej. Zaczerwienił się i wyjąkał:

– D-d-do n-n-aszego ś-ś-świata… Nie w-w-wiedziałem, że chcesz się tam udać.

– A po cóż innego zostaliście tu przysłani, jeśli nie po to, aby mnie stąd zabrać?

– Jestem pewien, że nasz świat zupełnie by ci się nie spodobał – powiedział Digory. – To nie jest miejsce dla niej, prawda, Polu? Tam jest okropnie nudno, naprawdę, nie warto go nawet oglądać.

– Wkrótce będzie tam co oglądać, kiedy zacznę nim rządzić – odpowiedziała królowa.

– Och, to niemożliwe – rzekł Digory. – Tam jest zupełnie inaczej. Nie pozwolą ci, rozumiesz?

Królowa uśmiechnęła się z pogardą.

– Wielu królów sądziło, że mogą się oprzeć potędze Domu Charn. Ale wszyscy upadli, a ich imiona zostały zapomniane. Głupi chłopcze! Czy naprawdę myślisz, że ja, z moją pięknością i magią, nie będę miała całego waszego świata u stóp, zanim minie rok? Wymówcie swoje zaklęcia i zabierzcie mnie tam natychmiast!

– To jest po prostu straszne – powiedział Digory do Poli.

– Może boisz się o swego wuja? – zapytała Jadis. – Nie obawiaj się. Jeśli odda mi należyte honory, zachowa swoje życie i tron. Nie udaję się tam, by walczyć przeciw NIEMU. Musi być naprawdę wielkim czarodziejem, jeśli odkrył, w jaki sposób was tutaj wysłać. Czy on jest królem całego waszego świata, czy tylko jego części?

– On w ogóle nie jest królem – wyjaśnił Digory.

– Kłamiesz! – zawołała królowa. – Czyż magowie nie pochodzą zawsze z królewskich rodów? Któż słyszał o czarodzieju pospolitego pochodzenia? Znam prawdę, więc nie sil się na kłamstwa. Twój wuj jest Wielkim Królem i Wielkim Magiem waszego świata. Dzięki wiedzy tajemnej ujrzał odbicie mojej twarzy w jakimś magicznym zwierciadle albo sadzawce i porażony moją pięknością wypowiedział potężne zaklęcie, które wstrząsnęło waszym światem aż do jego podstaw, i wysłał was poprzez przepaść między światami, aby prosić o moje względy i przywieść mnie do niego. Odpowiedz mi: czy nie tak było?

– No... NIEZUPEŁNIE – wyjąkał Digory.

– Niezupełnie! – zawołała Pola. – Przecież to są absolutne brednie od początku do końca.

– Sługo! – wrzasnęła królowa, odwracając się z wściekłością do Poli i łapiąc ją za włosy na samym czubku głowy, tam gdzie najbardziej boli. Czyniąc to, puściła ręce obojga dzieci.

– Teraz! – zawołał Digory.

– Szybko! – zawołała Pola.

Każde wsadziło natychmiast lewą rękę do lewej kieszeni. Nie musieli zakładać obrączek na palce. Gdy tylko ich dotknęli, cały ten posępny, martwy świat zniknął im z oczu. Już unosili się w górę, a ciepłe, zielone światło nad ich głowami zbliżało się coraz szybciej.

ROZDZIAŁ 6

Wuj Andrzej zaczyna mieć kłopoty

PUŚĆ MNIE! Puść mnie! – krzyczała Pola.

– Przecież nawet cię nie dotykam! – odkrzyknął Digory.

A potem ich głowy wystrzeliły nad powierzchnię sadzawki. Ogarnął ich słoneczny spokój Lasu Między Światami, a po stęchliźnie, chłodzie i martwocie miejsca, które dopiero co opuścili, wydawał im się jeszcze bardziej bogaty, jeszcze bardziej ciepły i bardziej kojący. Myślę, że gdyby tylko im na to pozwolono, chętnie by znowu zapomnieli, kim są i skąd tutaj przybyli, i znowu leżeliby, odprężeni i szczęśliwi, półśniąc, wsłuchując się, jak rosną drzewa. Ale tym razem coś nie pozwalało im nawet o tym pomyśleć, bo gdy tylko wyszli na trawiasty brzeg, stwierdzili, że nie są sami. Królowa – albo Czarownica, bo i tak można ją nazywać – wynurzyła się z sadzawki razem z nimi, trzymając Polę mocno za włosy. Właśnie dlatego Pola krzyczała: „Puść mnie!"

Nawiasem mówiąc, ukazało to jeszcze jedną właściwość magicznych pierścieni, o której wuj Andrzej nie powiedział Digory'emu, bo sam o niej nie wiedział. Aby przeskoczyć do Innego Świata za pomocą jednego z pierścieni, wcale nie trzeba było mieć go na palcu: wystarczyło dotykać kogoś, kto dotykał pierścienia. W ten sposób działały one podobnie jak magnes, a każdy wie, że jeśli się złapie magnesem szpilkę, to przyciąga ona następne, które jej dotykają.

Lecz teraz, w Lesie, królowa Jadis wyglądała zupełnie inaczej. Była o wiele bardziej blada niż w Charnie: tak blada, że jej piękność przygasła. Przygarbiła się i z trudem oddychała; widać było, że ciepłe i bogate powietrze Lasu po prostu ją dusi. Żadne z dzieci już się jej nie bało.

– Puść mnie! Puść moje włosy! – zawołała Pola. – O co ci właściwie chodzi?

– Hej! Puść jej włosy. Natychmiast! – powiedział Digory.

Nie usłuchała od razu, ale teraz dzieci były silniejsze od niej i po krótkiej walce Pola się oswobodziła. Królowa zatoczyła się do tyłu, dysząc ciężko, a w oczach miała zgrozę.

– Szybko, Digory! – krzyknęła Pola. – Zamieniamy pierścienie i skaczemy do domowej sadzawki.

– Pomóżcie mi! Litości! – jęczała Czarownica, wlokąc się za nimi. – Zabierzcie mnie ze sobą. Nie możecie mnie zostawić w tym okropnym miejscu. To powietrze mnie zabija.

– Zapomniałaś o Racji Stanu? – zapytała Pola mściwie. – To tak jak wtedy, gdy zabiłaś tych wszystkich nieszczęśników w twoim świecie. Pospiesz się, Digory.

Włożyli już zielone obrączki na palce, ale Digory jakoś się ociągał.

— A niech to piorun strzeli! — zawołał w końcu. — Co z nią zrobić? — Żal mu było królowej i nic na to nie mógł poradzić.

— Och, nie bądź takim okropnym osłem! — odpowiedziała Pola. — Założę się, że ona tylko udaje. Choć już! Naprzód!

I schwyciwszy go za rękę, skoczyła do „domowej" sadzawki. „Jak to dobrze, że zrobiliśmy ten znak", przemknęło jej przez głowę. Ale gdy tylko skoczyli, Digory poczuł, że jakieś mocne i zimne kleszcze złapały go za ucho. I kiedy opadali w ciemność, a wokół nich zawirowały mgliste kształty naszego świata, zrozumiał, że Czarownica trzyma go dwoma palcami za ucho, a uścisk tych palców staje się coraz mocniejszy. Na próżno Digory odpychał ją i kopał. W następnej chwili byli już w pracowni na poddaszu, a wuj Andrzej we własnej osobie stał przed nimi, osłupiały, wpatrując się w zadziwiającą istotę, którą Digory ściągnął ze sobą z Innego Świata.

I trudno mu się dziwić. Digory i Pola również wlepiali w nią spojrzenia. Nie ulegało wątpliwości, że Czarownica odzyskała swe siły, a teraz, kiedy się na nią patrzyło w naszym świecie, pośród zwykłych przedmiotów i ludzi, jej widok wprost zapierał dech w piersiach. W Charnie budziła lęk; tu, w Londynie, budziła grozę. Przede wszystkim nie zdawali sobie dotąd sprawy, jak jest naprawdę wysoka. „Po prostu aż trudno nazwać ją człowiekiem", myślał Digory i mógł mieć rację, bo są tacy, co twierdzą, że w żyłach potomków królewskiej dynastii Charnu płynie krew olbrzymów. Ale nawet ten

niezwykły wzrost nie rzucał się w oczy tak jak promie-
niująca z niej piękność, bezwzględność i żywotność.
Mam nadzieję, że mnie zrozumiecie, jeśli powiem, że
sprawiała wrażenie osoby dziesięć razy bardziej żywej
niż ludzie, jakich się zwykle spotyka w Londynie. Wuj
Andrzej bez przerwy kłaniał się i zacierał ręce, lecz
nietrudno było zauważyć, jak bardzo jest przerażony.
Przy Czarownicy wydawał się drobnym człowiekiem.
A jednak – jak później mówiła Pola – w ich twarzach
kryło się jakieś nieuchwytne podobieństwo, bardziej
zresztą w wyrazie niż w rysach. To coś można odnaleźć
w twarzach wszystkich czarodziejów, pewne „znamię",
którego królowa Jadis nie znalazła w twarzy Digory-
'ego. Patrząc na te dwie niesamowite postacie, stojące
naprzeciw siebie, dzieci odczuły jednak pewną ulgę:
stwierdziły, że nie boją się już wuja Andrzeja. I nietrudno to zrozumieć. Łatwo bowiem przestać się bać
glisty, kiedy się zobaczyło grzechotnika, lub krowy,
kiedy się spotkało oszalałego byka.

„Phi! ON... czarodziejem! – pomyślał Digory. – Wcale na takiego nie wygląda. ONA... to co
innego!"

A wuj Andrzej wciąż kłaniał się i zacierał ręce. Chciał
powiedzieć coś bardzo uprzejmego, ale w ustach tak
mu zaschło, że nie mógł wykrztusić ani jednego słowa. Powodzenie „eksperymentu z pierścieniami", jak
to określał, przewyższyło jego oczekiwania do tego
stopnia, że poczuł się co najmniej nieswojo. Bo chociaż
zajmował się magią od lat, zawsze starał się (o ile to
tylko możliwe) pozostawiać innym wszystkie niebez-

pieczne strony tych eksperymentów. Jeszcze nigdy nie zdarzyło mu się coś takiego jak to.

W końcu przemówiła Jadis. Nie podniosła głosu, ale coś w nim sprawiło, że cały pokój zadrżał.

— Gdzie jest ten czarodziej, który wezwał mnie tu z Innego Świata?

— Och... och... pani... — zaczął się jąkać wuj Andrzej. — Jestem wielce zaszczycony... niesłychanie zadowolony... to naprawdę zupełnie nieoczekiwane szczęście... gdybym tylko miał sposobność dokonać uprzednio jakichś przygotowań... ja...

— Gdzie jest czarodziej, głupcze? — powtórzyła Jadis.

— To ja... ja nim jestem, pani. Mam nadzieję, że wybaczysz wszystkie... e-e-e... nieuprzejmości, na

jakie te dzieci mogły sobie pozwolić. Zapewniam cię, pani, że nie było moją intencją...

— Ty?! — przerwała mu królowa jeszcze bardziej strasznym głosem. A potem jednym szybkim krokiem zbliżyła się do niego, schwyciła go za siwe włosy i odchyliła mu głowę do tyłu, badając spojrzeniem jego twarz, tak jak to zrobiła z Digorym w Charnie. Przez cały czas wuj Andrzej mrugał oczami i nerwowo oblizywał sobie wargi. W końcu puściła go tak gwałtownie, że zatoczył się na ścianę i upadł.

— Ach, tak — powiedziała pogardliwie. — Rzeczywiście jesteś swojego rodzaju czarodziejem. Wstań, psie, i nie rozwalaj się tak, jakbyś rozmawiał z równym sobie. W jaki sposób poznałeś magię? Nie pochodzisz z królewskiego rodu — to mogę przysiąc.

— No więc... aha... tak, to znaczy nie w ścisłym sensie — wyjąkał wuj Andrzej. — Z niezupełnie królewskiego. Ketterleyowie są jednak bardzo starym rodem. To stary ród z Dorsetshire, pani.

— Dosyć! — uciszyła go Czarownica. — Widzę przecież, kim jesteś. Jesteś małym, domorosłym czarodziejem, który poznał magię z ksiąg i zajmuje się odnajdywaniem pewnych jej praw. W twojej krwi i w twoim sercu nie ma żadnej magii. W moim świecie z tym rodzajem magów skończyliśmy jakiś tysiąc lat temu. Ale tutaj pozwolę ci być moim sługą.

— Byłbym niezmiernie szczęśliwy... wprost zachwycony, gdybym mógł się na coś przydać... t-t-to naprawdę w-w-wielkie szczęście, zapewniam...

— Dosyć! Mówisz o wiele za dużo. Wysłuchaj swego pierwszego zadania. Widzę, że jesteśmy w dużym mieście. Postaraj się natychmiast o rydwan lub latający dywan albo o dobrze wytresowanego smoka czy coś innego, czym zwykle poruszają się osoby krwi królewskiej w waszym kraju. A potem zaprowadź mnie do miejsc, w których mogę dostać suknie, klejnoty i niewolników. I żeby wszystko było godne mojej osoby. Jutro rozpocznę podbój tego świata.

— Ja... ja... ja zaraz pójdę i sprowadzę dorożkę — powiedział wuj Andrzej prawie szeptem, dysząc ciężko.

— Stój — rzekła Czarownica, gdy był już u drzwi. — Niech ci się nie marzy jakaś zdrada. Widzę przez ściany i bez trudu odczytuję czyjeś myśli. Będę cię śledzić, gdziekolwiek będziesz. Przy pierwszym objawie nieposłuszeństwa rzucę na ciebie takie zaklęcie, że na czymkolwiek usiądziesz, będziesz się czuł tak, jakbyś siedział na rozpalonym do czerwoności żelazie, a za każdym razem, gdy się położysz do łóżka, będziesz czuł niewidzialne bryły lodu u swych stóp. A teraz idź.

Stary wuj wyszedł, a wy-
glądał jak zbity pies z podwi-
niętym ogonem.

Dzieci zaczęły się bać,
że Jadis zechce pomówić
z nimi o tym, co się wy-
darzyło w Lesie. A jed-
nak ani teraz, ani później
o tym nie wspomniała.
Myślę (a Digory sądzi
podobnie), że jej pamięć
w ogóle nie była w stanie
zanotować tego spokoj-
nego miejsca, i niezależ-
nie od tego, ile razy i jak
długo by tam przebywa-

ła, nic by o tym nie wiedziała. A zresztą teraz, gdy została sama z dziećmi, nie zwracała na żadne z nich najmniejszej uwagi. To też było bardzo w jej stylu. W Charnie nie zwracała uwagi na Polę, bo tam Digo-ry'ego chciała użyć do swoich celów. Teraz rolę tę prze-jął wuj Andrzej, więc Digory przestał dla niej istnieć. Sądzę, że większość czarownic zachowuje się w podob-ny sposób. Nie interesują się rzeczami i ludźmi, jeśli nie chcą lub nie mogą ich użyć. Można powiedzieć, że są okropnie praktyczne. Tak więc w pokoju zapanowała cisza, trwająca minutę lub dwie. Jedynie po sposobie, w jaki Czarownica stukała obcasem w podłogę, można było wywnioskować, że zaczyna się niecierpliwić.

Nagle odezwała się, jakby do siebie:

— Co ten stary głupiec robi? Powinnam zabrać ze sobą bat. — I wyszła dumnym krokiem z pracowni na poszukiwanie wuja Andrzeja.

— Uff! — Pola odetchnęła z ulgą. — No, a teraz muszę lecieć do domu. Jest strasznie późno.

— Ale wróć, jak tylko będziesz mogła — rzekł Digory. — To wszystko jest po prostu upiorne. Musimy się zastanowić, co z nią zrobić.

— Teraz to niech już twój wuj się o to martwi. To on zaczął całą tę głupią zabawę z magią.

— W każdym razie wrócisz, prawda? Przecież nie możesz mnie zostawić samego w takich tarapatach!

— Pójdę do domu tunelem — powiedziała Pola nieco chłodnym tonem. — Tak będzie najszybciej. A jeśli chcesz, żebym wróciła, to może byś mnie najpierw przeprosił?

— Przeprosił? — zdziwił się Digory. — Och, te dziewczyny! Co takiego znowu zrobiłem?

— Och, nic, oczywiście, oprócz tego, że prawie wykręciłeś mi rękę w tamtej sali z woskowymi figurami, jak mały, tchórzliwy tyran. Nic oprócz tego, że uderzyłeś w ten dzwon młotkiem, jak głupi wariat. Nic oprócz tego, że odwróciłeś się plecami w Lesie, tak że miała czas złapać cię za ucho, zanim skoczyliśmy do sadzawki. To wszystko.

– Och! – Digory był wyraźnie zaskoczony. – No dobrze, przepraszam cię. I naprawdę przykro mi za to, co się stało w sali z figurami woskowymi. No, przecież powiedziałem „przepraszam". A teraz zachowaj się po ludzku i wróć. Jeśli nie wrócisz, będę w okropnej sytuacji.

– Nie rozumiem, co ci się może stać? To przecież pan Ketterley ma siedzieć na rozpalonym do czerwoności żelazie i spać z bryłą lodu w łóżku, czy nie?

– Nie o to chodzi. Po prostu martwię się o matkę. Przypuśćmy, że ta wiedźma wejdzie do jej pokoju. Może ją naprawdę śmiertelnie przestraszyć. Mama jest bardzo chora.

– Och, rozumiem – powiedziała Pola nieco innym tonem. – W porządku. Nazwijmy to zawarciem pokoju. Wrócę, jeśli tylko będę mogła. Ale teraz muszę lecieć.

I weszła przez małe drzwiczki do tunelu, a to ciemne miejsce pomiędzy krokwiami, które wydawało się tak niepokojące i pełne przygód jeszcze kilka godzin temu, stało się bardziej swojskie i spokojne.

Musimy teraz wrócić do wuja Andrzeja. Biedne, stare serce podchodziło mu do gardła, gdy schodził chwiejnie po schodach z poddasza, wycierając wciąż czoło chusteczką. Kiedy doszedł do swojej sypialni, zamknął się w niej na klucz. Pierwszą rzeczą, jaką zrobił, było wyłowienie z szafy butelki i szklanki, które schował tam przed ciotką Letycją. Nalał sobie do pełna jakiegoś ohydnego płynu dla dorosłych i wypił go jednym haustem. Potem głęboko odetchnął.

– Daję słowo! – powiedział do siebie. – Jestem straszliwie wstrząśnięty. Jestem całkowicie rozstrojony. I to w moim wieku!

Nalał drugą szklankę, wypił i zaczął się przebierać. Nigdy nie widzieliście takiego stroju, ale ja go po prostu pamiętam. Nałożył na szyję bardzo wysoki, błyszczący i sztywny kołnierzyk z rodzaju tych, które zmuszają do trzymania brody cały czas wysoko. Włożył białą kamizelkę w delikatny deseń i zawiesił z przodu złoty łańcuszek od zegarka. Włożył swój najlepszy surdut, którego używał tylko z okazji ślubów i pogrzebów. Wyjął swój najlepszy cylinder i wyczyścił go starannie. Na stole stał wazon z kwiatami (przyniesiony tu przez ciotkę Letycję); wziął jeden kwiatek i włożył go do butonierki. Z szuflady w komodzie wyciągnął czystą chusteczkę do nosa (cudowną, jakiej dziś się już nie dostanie) i skropił ją lekko wodą kolońską. Wydobył monokl z grubą, czarną tasiemką i wetknął go sobie w oczodół. A potem spojrzał na swoje odbicie w lustrze.

Jak dobrze wiecie, dzieci bywają głupie na swój sposób, a dorośli na swój sposób. W tym momencie wuj Andrzej zaczął być głupi w bardzo dorosły sposób. Ponieważ w pokoju, w którym obecnie przebywał, nie było Czarownicy, szybko zapomniał, jak potwornie się jej bał, za to cały był pochłonięty jej oszałamiającą pięknością. Powtarzał sobie: „Piekielnie ładna kobieta, mój panie, piekielnie ładna kobieta. Nieziemskie stworzenie!" Zdołał też jakoś zapomnieć, że to dzieci sprowadziły owo „nieziemskie stworzenie" do jego domu; wydawało mu się, że to on sam, mocą swojej magii, wezwał ją z jakiegoś nieznanego świata.

– Andrzeju, stary chłopie – powiedział do swego odbicia w lustrze – jesteś diabelnie dobrze trzymającym się gościem, jak na swój wiek. Jesteś po prostu dystyngowanym dżentelmenem, mój panie, ot co.

Jak widzicie, stary głupiec zaczynał sobie wyobrażać, że Czarownica się w nim zakocha. Prawdopodobnie miały z tym coś wspólnego owe dwie szklaneczki, a także jego najlepsze ubranie. A poza tym wuj Andrzej był próżny jak paw; właśnie dlatego został czarodziejem.

Otworzył drzwi, zeszedł na dół, kazał służącej (w tych czasach ludzie często mieli służących) przywołać dwukółkę i zajrzał do saloniku. Tu, jak się spodziewał, zastał ciotkę Letycję, naprawiającą na klęczkach stary materac leżący na podłodze przy oknie.

– Ach, moja droga Letycjo – powiedział – muszę... e-e-e... wyjść. Jeśli chcesz być dobrą dziewczynką, to pożycz mi z pięć funtów.

– Nie, mój drogi Andrzeju – odparła ciotka Letycja swoim mocnym, spokojnym głosem, nie odrywając się od naprawy materaca. – Mówiłam ci już niezliczoną ilość razy, że NIE BĘDĘ ci pożyczać pieniędzy.

– Bardzo cię proszę, moja kochana dziewczynko, tylko nie bądź przykra. To bardzo ważna sprawa. Postawisz mnie w piekielnie trudnej sytuacji, jeśli mi nie pożyczysz.

– Andrzeju – powiedziała ciotka Letycja, tym razem patrząc mu prosto w oczy – dziwię się, że nie wstyd ci prosić MNIE o pieniądze.

Za tymi słowami kryła się długa, nudna historia ze świata dorosłych. Wystarczy, jeśli będziecie wiedzieć, że wuj Andrzej, „zajmując się sprawami finansowymi drogiej Letycji" i nigdy nic nie robiąc, a w dodatku zamawiając wielkie ilości trunków i cygar (za co rachunki musiała oczywiście płacić ciotka), w ciągu trzydziestu lat doprowadził jej majątek do opłakanego stanu.

— Moja kochana dziewczynko — rzekł wuj Andrzej — nie rozumiesz, o co tu chodzi. Będę miał dzisiaj pewne nieoczekiwane wydatki. Muszę urządzić małe przyjęcie. No, proszę cię, nie bądź przykra.

— A kogóż to, jeśli wolno wiedzieć, zamierzasz przyjmować, Andrzeju? — zapytała ciotka.

— W-w-właśnie odwiedziła mnie niesłychanie wybitna osobowość.

— Niesłychane bzdury! — zawołała ciotka Letycja. — W ciągu ostatniej godziny nikt nie dzwonił do drzwi.

W tym momencie drzwi otworzyły się gwałtownie. Ciotka Letycja spojrzała i ku swemu zdumieniu zobaczyła na progu niezwykle wysoką kobietę we wspaniałej szacie, z nagimi ramionami i płonącymi oczami. Była to Czarownica.

ROZDZIAŁ 7

Co się wydarzyło przed domem

NIEWOLNIKU, JAK DŁUGO MAM CZEKAĆ NA RYDWAN?
– zagrzmiał głos Czarownicy. Wuj Andrzej bez słowa
czmychnął do najdalszego kąta pokoju. Teraz, gdy ją
ponownie zobaczył, wszystkie głupie myśli, jakie mu
przychodziły do głowy przed lustrem, wywietrzały
w jednej chwili jak kamfora. Natomiast ciotka Letycja wstała z materaca i stanęła na środku salonu.

– Czy możesz mi wyjaśnić, Andrzeju, kim jest ta
młoda osoba? – zapytała lodowatym tonem.

– To wybitny gość z zagranicy... b-b-bardzo ważna osobistość – wyjąkał wuj.

– Bzdury! – krzyknęła ciotka i zwróciła się do Czarownicy: – Wynoś się natychmiast z mojego domu,
bezwstydnico, albo wezwę policję! – Była przekonana,
że Jadis pracuje w cyrku, i nie mogła zaakceptować jej
nagich ramion.

– Kim jest ta kobieta? – zapytała Jadis. – Na kolana, służko, zanim cię unicestwię!

– Tylko nie radzę używać w tym domu takich moc-
nych słów, młoda osobo – odpowiedziała ciotka.

Królowa odchyliła się nieco do tyłu, a jej oczy mio-
tały błyskawice. Wujowi Andrzejowi wydawało się,

że jest teraz jeszcze wyższa niż przedtem. Wyciągnęła rękę w tym samym geście i wyrzekła te same strasznie brzmiące słowa, które zamieniły w pył pałacowe wrota w Charnie. Ale nic się nie wydarzyło prócz tego, że ciotka Letycja powiedziała:

— Tak właśnie myślałam. Ta kobieta jest pijana. Kompletnie pijana! Po prostu nie może już wyraźnie mówić.

Musiała to być straszna chwila dla Czarownicy, gdy nagle zrozumiała, że jej moc zamieniania ludzi w pył, tak rzeczywista w jej świecie, w tym po prostu przestała działać. Ani na chwilę nie straciła jednak opanowania. Nie marnując czasu na zastanawianie się nad swoim niepowodzeniem, skoczyła do przodu, schwyciła ciotkę Letycję za szyję i kolana, uniosła wysoko, jakby nieszczęsna kobieta była zwykłą lalką, i rzuciła przez pokój. Kiedy ciotka Letycja jeszcze leciała w powietrzu, służąca (dla której to przedpołudnie zaczynało być cudownie intrygujące) wsadziła głowę przez uchylone drzwi i powiedziała:

— Powóz już przyjechał, proszę pana.

— Prowadź, niewolniku — zwróciła się Czarownica do wuja Andrzeja. Ten zaczął mruczeć coś o „godnej pożałowania przemocy" i o „stanowczych protestach", lecz jedno spojrzenie Jadis uciszyło go natychmiast. Wyszli razem z pokoju, a potem z domu; Digory zbiegał właśnie ze schodów, gdy zamykały się za nimi drzwi.

— O rety! — zawołał. — Wyrwała się do Londynu. I to z wujem Andrzejem! Nie mam zielonego pojęcia, co się teraz stanie.

— Och, paniczu Digory — powiedziała służąca (dla której ten dzień był naprawdę cudowny) — myślę, że panna Ketterley coś sobie zrobiła. — Oboje weszli do salonu, żeby zobaczyć, co się stało.

Gdyby ciotka Letycja upadła na gołą podłogę albo nawet na dywan, jestem pewien, że połamałaby sobie wszystkie kości, ale szczęśliwym trafem spadła na materac. Jak wiele starych ciotek w owych czasach, była bardzo gruba i pulchna. Po kilku minutach, gdy podano jej sole trzeźwiące, oznajmiła, że prócz kilku siniaków jest zdrowa i cała. I od razu zapanowała nad sytuacją.

– Saro – zwróciła się do służącej (która nigdy jeszcze nie przeżyła tak cudownego dnia) – idź zaraz na posterunek policji i powiedz im, że jest tutaj jakaś wielka, niebezpieczna wariatka. Sama zaniosę obiad pani Kirke. – Pani Kirke była, rzecz jasna, matką Digory'ego.

Kiedy matka została nakarmiona, Digory i ciotka Letycja sami zjedli obiad. A później chłopiec zaczął się gorączkowo zastanawiać, co robić dalej.

Główny problem polegał na tym, w jaki sposób – i to jak najprędzej – przenieść Czarownicę z powrotem do jej świata lub w każdym razie wysłać gdzieś z naszego. Na razie za wszelką cenę nie można jej pozwolić na miotanie się po całym domu. Matka nie może jej zobaczyć. Jeśli to możliwe, trzeba też coś zrobić, aby nie szalała po Londynie. Digory'ego nie było przy nieudanej próbie unicestwienia ciotki Letycji, natomiast widział, jak zniknęły wrota pałacu w Charnie. Znał więc jej straszliwą moc, ale nie wiedział, że utraciła ją, przybywając do naszego świata. Wiedział też, że zamierza podbić nasz świat. Wyobrażał sobie, że właśnie w tej chwili mogła unicestwić Pałac Buckingham lub Parlament, a uprzednio zamienić sporą liczbę policjantów w małe kupki prochu. Nie miał pojęcia, co z tym wszystkim począć. „Ale przecież te pierścienie działają tak jak magnes – pomyślał. – Jeżeli tylko zdołam jej dotknąć i szybko włożę ten żółty, oboje przeniesiemy się do Lasu Między Światami. Ciekawe, czy znowu tak osłabnie? Czy samo to miejsce tak na nią działa, czy może był to skutek wstrząsu po wyrwaniu się z tamtego świata? W każdym razie chyba będę musiał zaryzykować. Ale jak tu teraz odnaleźć potwora? Ciotka na pewno nie wypuści mnie z domu, dopóki jej nie powiem, dokąd idę. Mam tylko dwa pensy. Potrzebuję mnóstwo pieniędzy na autobusy i tramwaje, jeżeli mam jej szukać po całym Londynie. I w ogóle nie mam zielonego pojęcia, gdzie jej szukać. Czy wuj Andrzej wciąż jej towarzyszy?"

W końcu doszedł do wniosku, że jedyne, co mu pozostało, to czekać, w nadziei, iż wuj Andrzej i Czarownica sami wrócą do domu. Jeśli wrócą, musi szybko wybiec na ulicę, złapać Czarownicę i włożyć żółty pierścień, zanim ta wiedźma zdoła wejść do domu. Oznaczało to, że musi pilnować drzwi wejściowych jak kot mysiej dziury: nawet na chwilę nie wolno mu zejść z posterunku. Poszedł więc do jadalni i przykleił nos do szyby w oknie w owalnym wykuszu, z którego mógł widzieć schodki przed wejściem i ulicę w obie strony: nikt nie mógł więc podejść do drzwi wejściowych niezauważony przez Digory'ego. „Ciekaw jestem, co robi Pola" – pomyślał.

Zastanawiał się nad tym prawie pół godziny. Czas wlókł się niemiłosiernie. Ale wy nie musicie się zastanawiać tak długo, bo zaraz wam o tym powiem. Pola spóźniła się na obiad i w dodatku miała przemoczone buty i skarpetki. Kiedy ją zapytano, gdzie była i co – „na miłość boską" – robiła, odpowiedziała, że była na dworze z Digorym. Wypytywana dalej wyznała, że zamoczyła nogi w sadzawce, a ta sadzawka znajduje się w lesie. Na pytanie, gdzie jest ten las, nie potrafiła odpowiedzieć. Gdy ją zapytano, czy jest w którymś z parków, odrzekła – nie bardzo mijając się z prawdą – że można to nazwać parkiem. Jej matka wywnioskowała z tego wszystkiego, że Pola wyszła z domu, nie mówiąc o tym nikomu, udała się do nieznanej jej dzielnicy Londynu i w jakimś dziwnym parku zabawiała się wskakiwaniem do kałuży. W rezultacie Pola dowiedziała się, że jest nieznośną dziewczyną i że nie będzie jej wolno bawić się z „tym chłopakiem od Ketterleyów", jeśli podobne rzeczy jeszcze raz się powtórzą. Potem dostała obiad, ale bez jego najlepszych części, i wysłano ją do łóżka na dwie bite godziny. W owych czasach takie rzeczy zdarzały się dzieciom dość często.

Tak więc, podczas gdy Digory wyglądał przez okno w jadalni, Pola leżała w łóżku, a oboje rozmyślali nad tym, jak okropnie wolno wlecze się niekiedy czas. Jeśli o mnie chodzi, to wolałbym raczej być na miejscu Poli. W końcu musiała jedynie czekać, aż miną te dwie godziny, natomiast Digory co chwila słyszał turkot dorożki czy wozu piekarza za rogiem i myślał: „O, już jedzie!" i za każdym razem okazywało się, że to nie Czarownica. A pomiędzy tymi fałszywymi alarmami zegar tykał i tykał, a jakaś wielka mucha obijała się z głośnym bzykaniem o szybę, zbyt jednak wysoko, by można jej było dosięgnąć. Był to jeden z tych domów, które po południu robią się bardzo senne i nudne, a zawsze pełne są zapachu baraniny.

Podczas tego długiego wyczekiwania i wyglądania zdarzyła się pewna drobna rzecz, o której wspomnę, bo później nabierze dużego znaczenia. Przyszła jakaś kobieta z winogronami dla jego matki, a ponieważ drzwi do jadalni były otwarte, Digory słyszał rozmowę, jaką prowadziła z nią ciotka Letycja.

– Co za piękne winogrona! – rozległ się głos ciotki. – Jestem pewna, że gdyby cokolwiek mogło jej pomóc, to właśnie te winogrona. Biedna, kochana mała Mabel! Niestety, obawiam się, że tylko owoce z Kraju Młodości mogłyby jej pomóc. W TYM świecie niewiele już jej pomoże.

Gdyby Digory usłyszał to zdanie o Kraju Młodości kilka dni wcześniej, pomyślałby, że ciotka Letycja nie ma nic szczególnego na myśli, jak to często bywa z dorosłymi, i wcale by go to nie zainteresowało. Nawet teraz w pierwszej chwili nie zwrócił na to większej uwagi. Lecz nagle błysnęła mu w głowie myśl, że przecież wie już (nawet jeśli ciotka Letycja o tym nie wiedziała), iż naprawdę istnieją inne światy – sam przecież był w jednym z nich. A jeśli tak, to gdzieś może istnieć prawdziwy Kraj Wiecznej Młodości. Może istnieć prawie wszystko! W jakimś innym świecie mogą rosnąć owoce, które naprawdę mogłyby uleczyć jego matkę! Sami wiecie, co człowiek czuje, gdy zacznie mieć nadzieję na coś, czego naprawdę rozpaczliwie pragnie; nieomal walczy z tą nadzieją, bo jest zbyt piękna, by mogła być prawdziwa – nadzieje tyle razy już go zawiodły! Tak właśnie czuł teraz Digory. Ale nie chciał bynajmniej pozbywać się swej niespodziewanej nadziei. Przecież to może być... naprawdę, naprawdę, to może być prawda! Tyle niezwykłych rzeczy już się wydarzyło. Ma przecież magiczne pierścienie. Przez każdą z tych sadzawek w lesie na pewno można dostać się do jakiegoś innego świata. Można je zwiedzać po kolei. Aż wreszcie, wreszcie to się stanie: MAMA ZNOWU BĘDZIE ZDROWA. Znowu wszystko będzie dobrze. Zupełnie zapomniał o pilnowaniu powrotu Czarownicy. Jego ręka już wędrowała ku kieszeni, w której spoczywała żółta obrączka, gdy nagle usłyszał stukot kopyt galopującego konia. „Ojej! Co to takiego? – pomyślał. – Wóz straży ogniowej? Ciekaw jestem, gdzie się pali. O holender! Jadą tutaj! Nie, to przecież ONA!"

Nie muszę wam chyba mówić, kogo miał na myśli. Najpierw pojawił się dwukołowy powóz. Na koźle nie było nikogo. A na dachu – wyprostowana, wygięta w niesamowity sposób, gdy powóz w pełnym pędzie zakręcał na rogu – stała królowa Jadis, postrach Charnu. Rozchylone wargi ukazywały lśniące zęby, oczy płonęły dzikim ogniem, długie włosy powiewały za nią jak ogon komety. W ręku trzymała bat, którym okładała biedne zwierzę bez litości. Nozdrza konia były czerwone i szeroko rozdęte, a boki pokrywała piana. W szalonym galopie dobiegł do ich domu, mijając latarnię zaledwie o cal, i zatrzymał się gwałtownie prawie w miejscu, ściągnięty morderczym szarpnięciem lejców. Powóz uderzył w latarnię i rozleciał się na kawałki. W ostatniej chwili Czarownica skoczyła w niewiarygodny sposób i wylądowała zręcznie na grzbiecie konia. W mgnieniu oka dosiadła go okrakiem, nachyliła się i szepnęła coś prosto do jego ucha. Nie mam pojęcia, co mu powiedziała, ale z całą pewnością nic,

co by go uspokoiło. Stanął dęba, wstrząsając grzywą, i zarżał głośno, a przypominało to bardziej wycie niż rżenie konia. Tylko naprawdę doskonały jeździec mógł się teraz utrzymać na jego grzbiecie.

Zanim Digory odzyskał oddech, zaczęło się dziać wiele innych rzeczy. Tuż za szczątkami dwukółki zatrzymała się druga, z której wyskoczył jakiś tęgi jegomość w surducie oraz policjant. Potem nadjechała

trzecia, a wyskoczyło z niej znowu trzech policjantów. Za nią nadjechało na rowerach około dwudziestu ludzi (w większości chłopców na posyłki), wrzeszcząc i gwiżdżąc. Na samym końcu pojawił się tłum pieszych; wszyscy byli zgrzani długim biegiem, ale najwyraźniej bardzo uradowani. We wszystkich domach pootwierały się z trzaskiem okna, a w drzwiach pojawiły się służące, kucharki i pokojówki.

Tymczasem ze szczątków pierwszej dorożki zaczął się wygrzebywać jakiś starszy pan. Kilkunastu ludzi rzuciło się, aby mu pomóc, ale każdy ciągnął go w inną

stronę, więc prawdopodobnie szybciej by stanął na nogach o własnych siłach. Digory podejrzewał, że to wuj
Andrzej, lecz nie mógł dostrzec jego twarzy, bo przy-
krywał ją całkowicie cylinder wbity na głowę po samą
szyję.

Digory wypadł z domu i wmieszał się w tłum.

– To ta kobieta! To ta kobieta! – wrzeszczał gruby
jegomość, wskazując na Jadis. – Czyńcie swoją powin-
ność, konstablu. Wyniosła z mojego sklepu towarów

za tysiące funtów. Spójrzcie na ten sznur pereł na jej
szyi. Jest mój. I podbiła mi oko.

– Tak jest, panie starszy, nie da się ukryć! – zawołał
ktoś z tłumu. – To najpiękniej podbite oko, jakie wi-
działem w życiu! Dobra robota, nie ma co! Ale ta baba
ma krzepę!

– Powinien pan od razu przyłożyć na to kawał su-
rowego befsztyka, to najlepsze, co może być – radził
chłopiec od rzeźnika.

– Cisza! – zawołał najważniejszy z policjantów. –
Co tu się właściwie dzieje?

– Właśnie mówię, że ona… – zaczął grubas, gdy ktoś krzyknął:

– Nie pozwólcie uciec temu gościowi z dorożki! To on ją przywiózł!

Starszemu panu, który bez wątpienia był wujem Andrzejem, właśnie udało się stanąć na nogach.

– A więc – policjant zwrócił się teraz do niego – co to wszystko znaczy?

– Omfly – pomfly – szomf – odpowiedział głos wuja spod cylindra.

– Tylko bez żartów – rzekł policjant surowo. – Zaraz się pan przekona, że to wcale nie jest takie śmieszne. Proszę zdjąć ten kapelusz. Jasne?

Łatwiej było powiedzieć, niż wykonać. Przez jakiś czas wuj Andrzej mocował się bezskutecznie ze swoim cylindrem, aż w końcu dwóch policjantów schwyciło za rondo i pomogło mu się od niego uwolnić.

– Dziękuję, dziękuję – wyjąkał wuj słabym głosem. – Dziękuję. Och, jestem zupełnie rozbity. Gdyby ktoś mógł podać mi szklaneczkę brandy…

– Teraz posłuchajcie, co ja mówię, jasne? – przerwał mu policjant, wyjmując bardzo duży notes i bardzo mały ołówek. – Czy ta młoda dama jest pod pańską opieką?

– Uwaga! – rozległo się jednocześnie kilka głosów. Policjant w ostatniej chwili uratował sobie życie, uskakując spod kopyt konia, który ponownie stanął dęba. Czarownica zawróciła go w miejscu pyskiem w stronę tłumu. W ręku miała długi, błyszczący nóż, którym odcinała uprząż łączącą konia z resztkami powozu.

Przez cały czas Digory usiłował znaleźć odpowiednią pozycję, umożliwiającą mu dotknięcie Czarownicy. Nie było to wcale proste, bo z tej strony cisnęło się zbyt wielu ludzi. Aby znaleźć się po drugiej stronie, musiałby przejść między kopytami konia a żelaznymi sztachetami przed domem (dom państwa Ketterleyów miał suterenę). Jeżeli znało się choć trochę na koniach, a zwłaszcza kiedy się widziało, w jakim stanie był ten koń, wykonanie takiego manewru stawało się dość nieprzyjemną sprawą. Digory wiedział wiele o koniach, ale zacisnął zęby, gotów rzucić się naprzód w odpowiednim momencie.

Jakiś mężczyzna o czerwonej twarzy, w meloniku na głowie, przecisnął się przez tłum i stanął przed policjantem.

– Szacunek, panie posterunkowy – powiedział. – Ten koń, na którym ona siedzi, należy do mnie, także samo jak ta drynda, którą rozwaliła w drzazgi.

– W swoim czasie, w swoim czasie – odpowiedział mu policjant.

– Ale tu nie ma na co czekać, panie konstablu. Znam tego konia jak swoją starą. To nie jest zwykła szkapa. Jej ojciec był normalnym oficerskim rumakiem w kawalerii Jej Królewskiej Mości. I jeśli ta paniusia będzie go wciąż denerwowała, to będą trupy. Zaraz po niego pójdę.

Policjant uznał to za dobrą okazję, by cofnąć się trochę dalej od konia. Dorożkarz zrobił krok naprzód, spojrzał na Jadis i powiedział dość uprzejmym tonem:

– No, panienko, teraz go złapię u pyska, a ty złaź. Jesteś damą i chyba nie chcesz mieć przykrości, nie? Dobrze ci zrobi, jak pójdziesz do domu, wypijesz kubek herbaty i trochę się położysz. Od razu poczujesz się lepiej. – I wyciągnął rękę ku pyskowi konia, mrucząc: – Spokojnie, Truskawku, spokojnie, stary.

– Psie! – rozległ się zimny, czysty głos, dźwięczący jak stal ponad wrzawą tłumu. – Psie, zabierz rękę z naszego królewskiego rumaka! Jestem cesarzową Jadis.

ROZDZIAŁ 8

Walka pod latarnią

HO-HO! Cysarzowa! To się zobaczy! – odezwał się jakiś głos z tłumu, a potem inny głos zawołał:
– Niech żyje cesarzowa Colney Hatch!*
Duża część tłumu ryknęła ochoczo:
– Niech żyje! Niech żyje! Niech żyje!
Na twarzy Czarownicy pojawił się rumieniec. Lekko skinęła głową. Ale wiwaty utonęły w głośnym śmiechu i wkrótce zrozumiała, że robią sobie z niej pośmiewisko. Wyraz jej twarzy raptownie się zmienił. Przełożyła nóż do lewej ręki, a potem, bez żadnego ostrzeżenia, zrobiła coś, co uciszyło tłum w jednej chwili. Swobodnie, bez wysiłku, jakby to była najzwyklejsza rzecz pod słońcem, wyciągnęła rękę i wyłamała jedną z żelaznych sztab, wspierających latarnię na słupie. Jeśli w tym świecie utraciła część swoich czarnoksięskich zdolności, to z pewnością nie straciła swej siły: mogła złamać żelazną sztabę, jakby to była pałeczka z cukru. Podrzuciła swoją nową broń wysoko w górę, złapała ją i ściągnęła wodze tak, że koń znowu stanął dęba.

---

* Colney Hatch to nazwa zakładu dla umysłowo chorych, który istniał w Londynie pod koniec XIX wieku (przyp. tłum.).

„Teraz albo nigdy", pomyślał Digory i błyskawicznie prześliznął się między koniem a żelaznym ogrodzeniem. Gdyby tylko koń uspokoił się na chwilę, mógłby złapać Czarownicę za nogę. Nagle rozległ się straszny trzask i głuchy odgłos upadku. Czarownica uderzyła sztabą w hełm policjanta, który padł na ziemię jak kręgiel trafiony kulą.

– Szybko, Digory! Trzeba z tym skończyć! – odezwał się jakiś głos tuż obok niego. To była Pola. Przybiegła, gdy tylko pozwolono jej wstać z łóżka.

– Nie zawiodłaś! – odpowiedział Digory stłumionym głosem. – Trzymaj się mnie. Zaraz będziesz musiała użyć pierścienia. Pamiętaj – żółty! I nie dotykaj go, dopóki nie krzyknę.

Rozległ się drugi trzask i jeszcze jeden policjant upadł na ziemię. Z tłumu zabrzmiały gniewne okrzyki:

– Ściągnijcie ją z konia! Wyrwijcie parę brukowców! Wezwijcie wojsko!

Ale większość gapiów starała się znaleźć jak najdalej konia. Tylko dorożkarz okazał odwagę i trzymał się wciąż blisko, uskakując i uchylając się przed sztabą, lecz wciąż próbując złapać Truskawka za uzdę przy pysku.

Z tłumu znowu odezwały się wrzaski i gwizdy. Nad głową Digory'ego przeleciał ze świstem kamień. A potem rozległ się głos Czarownicy, czysty i donośny jak dzwon:

– Nędzny motłoch! Drogo mi za to zapłacicie, kiedy podbiję wasz świat. Z tego miasta nie zostanie kamień na kamieniu. Uczynię z nim to, co uczyniłam z Charnem, z Felindą, z Sorlojem, z Bramandinem.

Digory'emu udało się wreszcie schwycić ją za kostkę, lecz potężne kopnięcie prawie zwaliło go z nóg. Puścił jej nogę, czując krew w ustach. Gdzieś z pobliża dobiegł go drżący pisk wuja Andrzeja:

– Pani! Moja droga młoda damo! Na miłość boską, opamiętaj się!

Digory znów schwycił ją za nogę i znowu został odtrącony na ziemię. Żelazna sztaba świstała w powietrzu, powalając coraz to nowe ofiary. Skoczył po raz trzeci i schwycił ją za piętę, zaciskając kurczowo palce aż do bólu.

– Naprzód! – wrzasnął do Poli.

Nareszcie! Rozgniewane i przerażone twarze znikły. Rozgniewane i przerażone głosy ucichły. Wszystkie – prócz głosu wuja Andrzeja. Tuż obok Digory'ego rozlegał się w ciemności jego żałosny lament:

– Och! Och! Czy to delirium? Czy to już koniec? Dłużej tego nie zniosę. To nieuczciwe. Nigdy nie zamierzałem być czarodziejem. To jakieś nieporozumienie. To wszystko wina mojej matki chrzestnej. Protestuję. W moim stanie zdrowia. Bardzo stara rodzina z Dorsetshire.

„A niech to dunder świśnie! – pomyślał Digory. – Wcale nie mieliśmy zamiaru zabierać JEGO. Ojej, ale cyrk!"

– Czy jesteś tu, Polu?

– Tak, jestem. Nie rozpychaj się tak.

– Przecież nie... – zaczął Digory, ale nie skończył, bo ich głowy wynurzyły się w ciepłej, zielonej poświacie Lasu. A kiedy wygramolili się z sadzawki, Pola zawołała:

– Och, zobacz! Ściągnęliśmy tu również tego starego konia! I pana Ketterleya. I dorożkarza. A to ci heca!

Gdy tylko Czarownica zobaczyła, że znowu jest w Lesie Między Światami, pobladła i pochyliła się, aż jej twarz dotknęła grzywy konia. Nietrudno było zauważyć, że śmiertelnie osłabła. Wuj Andrzej dygotał na całym ciele. Natomiast koń potrząsnął grzywą, zarżał radośnie i poczuł się o wiele lepiej. Po raz pierwszy, odkąd go Digory zobaczył, odzyskał spokój. Przytulone dotychczas do łba uszy wyprostowały się, a płonące przerażeniem oczy przygasły.

– O tak, mój staruszku – powiedział dorożkarz, klepiąc konia po szyi. – Tak jest lepiej. Uspokój się i odsapnij.

Koń zrobił najbardziej naturalną w świecie rzecz. Był bardzo spragniony (i trudno się dziwić), więc poczłapał powoli do najbliższej sadzawki i wszedł do niej, żeby się napić. A z nim – zupełnie bezwiednie – w sadzawce znalazła się reszta podróżników między światami. Digory wciąż ściskał kurczowo piętę Czarownicy, a Pola trzymała Digorego za rękę. Jedna ręka dorożkarza spoczywała na szyi konia, a drugą złapał właśnie wuj Andrzej, wciąż dygocący ze strachu.

– Szybko! – powiedziała Pola, patrząc Digory'emu w oczy – Zielone!

I w ten sposób koń nie zdążył zaspokoić swego pragnienia. Wszyscy zaczęli nagle spadać w ciemność. Koń zarżał, wuj Andrzej zaszlochał.

– No, mieliśmy trochę szczęścia – zauważył Digory.

Zapanowała cisza, a potem rozległ się głos Poli:

– Czy nie powinniśmy już gdzieś być?

– Chyba już gdzieś jesteśmy – odrzekł Digory. – W każdym razie ja stoję na czymś twardym.

– Aha, ja też dopiero teraz poczułam. Ale dlaczego wciąż jest tak ciemno? Słuchaj, czy nie weszliśmy do jakiejś złej sadzawki?

– Może to jest Charn – rzekł Digory – tylko że wróciliśmy w środku nocy.

– To nie jest Charn – rozległ się głos Czarownicy. – To jest pusty świat. To jest NIC.

I w rzeczy samej, było to najbliższe tego, co czuli. Otaczała ich taka ciemność, że nie widzieli się nawzajem i nie robiło to żadnej różnicy, czy miało się oczy otwarte czy zamknięte. Stopami dotykali czegoś zimnego i płaskiego, co mogło być ziemią, ale na pewno nie trawą czy mchem. Powietrze było chłodne, suche i nieruchome.

– Mój los się dopełnił – powiedziała Czarownica przeraźliwie martwym tonem.

– Och, nie mów takich rzeczy, pani – wybełkotał wuj Andrzej. – Moja droga młoda damo, błagam cię, nie mów takich rzeczy. Nie może być tak źle, jak mówisz. Ach, woźnico, mój dobry człowieku, czy nie masz czasem przy sobie buteleczki? Przydałaby mi się kropelka czegoś mocnego.

– Spokojnie, spokojnie – odezwał się mocny, śmiały, dobry głos dorożkarza. – Bez nerwów, dobrze radzę. Nikt nie połamał kości? Dobra. Jest więc chyba za co okazać komuś trochę wdzięczności, nie? To grubo więcej, niż można by się spodziewać po takim spadaniu na łeb na szyję. Jeśli wpadliśmy do jakiejś dziury, co całkiem możebne, bo wciąż kopią nowe stacje metra, to prędzej czy później ktoś się tutaj zjawi i nas wyciągnie, nie ma strachu. Jeśli jesteśmy nieboszczykami, a nie będę się z nikim kłócił, że tak nie jest, to cóż, ci, co mają olej w głowie, pamiętają, że kupa gorszych rzeczy zdarza się na morzu; tak czy owak, każden jeden musi w końcu umrzeć. Nie ma się czego bać, jeśli się żyło przyzwoicie. Jak by się mnie kto pytał, to powiem, że najlepsze, co można zrobić w tej chwili, to zaśpiewać jakąś pobożną pieśń.

I zrobił to. Bez żadnych ceregieli zaśpiewał hymn dziękczynienia za dobre zbiory. Słowa hymnu nie bardzo pasowały do tego miejsca, które sprawiało wrażenie, jakby w nim jeszcze nic nie wyrosło od początku czasu, ale była to jedyna pobożna pieśń, jaką dobrze pamiętał. Miał piękny, mocny głos i dzieci przyłączyły się do niego; bardzo je to podniosło na duchu. Wuj Andrzej i Czarownica nie śpiewali.

Pod koniec pieśni Digory poczuł, że ktoś ciągnie go za łokieć, a po zapachu brandy, cygar i wody kolońskiej poznał wuja Andrzeja. Wuj odciągnął go ostrożnie na bok. Kiedy już odeszli na pewną odległość, zbliżył usta do ucha Digory'ego i wyszeptał:

— Teraz, chłopcze. Włóż swój pierścień. Wracamy.

Ale Czarownica miała bardzo dobry słuch.

— Głupcze! — rozległ się jej głos, a potem dźwięki, po których poznali, że zeskoczyła z konia. — Zapomniałeś, że mogę czytać w cudzych myślach? Puść tego chłopca! Jeżeli spróbujesz zdrady, moja zemsta będzie tak straszna, że nigdy jeszcze w żadnym ze światów nie słyszano o podobnej od początku czasu.

– I jeśli myślisz – dodał Digory – że jestem taką świnią, by uciec i zostawić Polę – i dorożkarza – i konia – w takim miejscu jak to, to się piekielnie mylisz.

– Jesteś nieznośnym, aroganckim chłopcem – powiedział wuj Andrzej.

– Ciiiicho! – odezwał się dorożkarz. Wszyscy zamilkli i nadsłuchiwali z uwagą.

W otaczającej ich ciemności wreszcie coś się działo. Z tak daleka, że Digory nie mógł nawet rozpoznać kierunku, zaczął dochodzić jakiś śpiew. Niekiedy wydawało mu się, że głos dobiega ze wszystkich stron jednocześnie, a niekiedy, że wydobywa się spod ziemi. Jego niskie, głębokie tony mogły być głosem samej ziemi. Ta pieśń nie miała słów, trudno nawet powiedzieć, że miała jakąś melodię. Był to jednak najcudowniejszy dźwięk, jaki Digory kiedykolwiek słyszał, poza wszelkimi porównaniami, tak cudowny, że aż wprost trudny do zniesienia. Nawet koń zdawał się nim cieszyć: wydał z siebie tak radosne rżenie, jakie tylko może wydać z siebie koń, który po latach ciągnięcia dorożki znalazł się z powrotem na starym pastwisku, gdzie niegdyś biegał jako źrebię, i zobaczył kogoś, kogo pamiętał i lubił, jak idzie ku niemu przez łąkę z kawałkiem cukru w ręku.

– Mój Boże! – szepnął dorożkarz. – Czy to nie piękne?

A potem wydarzyły się, w tym samym momencie, dwie nowe, cudowne rzeczy. Do głosu dołączyły się inne, chłodne, dzwoniące, srebrzyste głosy, a było ich niezliczenie wiele. Wyśpiewywały wysoko, o wiele wyżej niż pierwszy głos, lecz w doskonałej z nim harmonii. I nagle ciemności nad ich głowami rozjarzyły się od gwiazd. Nie pojawiały się stopniowo, jedna po drugiej, jak to bywa w letnie wieczory. W jednej chwili nie było nic prócz ciemności, w następnej – tysiące świetlistych punktów. Były tam gwiazdy samotne. Były gwiazdozbiory, były planety – wszystkie o wiele

większe i jaśniejsze niż w naszym świecie. A pojawiły się dokładnie w tej samej chwili, w której rozbrzmiały nowe głosy. Gdybyście je widzieli i słyszeli tak jak Digory, bylibyście prawie pewni, że to śpiewają same gwiazdy i że to właśnie ów Pierwszy Głos, ten głęboki, sprawił, iż pojawiły się i zaczęły śpiewać.

– Bogu niech będzie chwała! – zawołał dorożkarz. – Chyba bym przez całe życie był lepszym człowiekiem, gdybym wiedział, że są na świecie takie rzeczy!

Pierwszy Głos zabrzmiał teraz głośniej i bardziej triumfalnie, a głosy w niebie zaczęły cichnąć. I zaczęło się dziać jeszcze coś innego.

Daleko, nad samym horyzontem, niebo poszarzało. Powiał lekki, orzeźwiający wiatr. Powoli, lecz nieustannie, w tym jednym miejscu niebo stawało się coraz jaśniejsze. Na jego tle pojawiły się ciemne zarysy wzgórz. A Głos wciąż śpiewał. Wkrótce zrobiło się tak jasno, że widzieli swoje twarze. Dorożkarz i dzieci mieli usta otwarte i płonące oczy; chłonęli ów cudowny śpiew całą swą istotą i wyglądali tak, jakby im coś przypominał. Wuj Andrzej też miał usta otwarte, ale bynajmniej nie ze szczęścia. Zdawało się raczej, że za chwilę podbródek odpadnie mu od reszty twarzy. Opuścił ramiona, a kolana wyraźnie mu dygotały. Było oczywiste, że Głos jest dla niego prawdziwą torturą i że najchętniej schowałby się przed nim do mysiej dziury. Natomiast Czarownica sprawiała wrażenie osoby, która w pewien sposób rozumie tę pieśń lepiej niż inni. Zacisnęła wargi i pięści, a z całej jej postaci biła nienawiść. Od samego początku czuła, że ten świat przepełniony jest magią zupełnie różną i potężniejszą od tej, którą władała. Gdyby tylko mogła, zniszczyłaby ów świat lub nawet wszystkie światy, byleby tylko przerwać tę znienawidzoną pieśń. Koń stał, strzygąc uszami, parskając od czasu do czasu i bijąc kopytami o ziemię. Zupełnie nie przypominał starej, zmęczonej dorożkarskiej szkapy: naprawdę wyglądał jak potomek bojowego rumaka.

Niebo na wschodzie poróżowiało, a potem pokryło się złotem. Głos wciąż potężniał i potężniał, aż wibrowało nim powietrze. I kiedy zabrzmiał najpotężniejszym i najbardziej triumfalnym tonem, wzeszło słońce.

Digory nigdy jeszcze nie widział takiego słońca. Słońce nad ruinami Charnu zdawało się starsze od naszego – to wyglądało wyraźnie młodziej. Można sobie było wyobrazić, że wschodząc, śmieje się z radości. A kiedy jego promienie wystrzeliły znad horyzontu, przybysze z Ziemi wreszcie zobaczyli, jak wygląda miejsce, w którym się znaleźli. Była to dolina, przez którą płynęła ku słońcu szeroka i bystra rzeka. Na południu widniały góry, na północy wzgórza. Ale wszędzie była tylko ziemia, skały i woda, bez jednego drzewa czy krzewu, jednego skrawka trawy. Ziemia mieniła się świeżymi, soczystymi barwami, które wprost oszałamiały i podniecały, w każdym razie do chwili, w której zobaczyło się Śpiewającego. Bo jego widok kazał zapomnieć o wszystkim innym.

Był to Lew. Olbrzymi, jaśniejący, z bujną, nastroszoną grzywą stał zwrócony łbem ku wschodzącemu słońcu. I śpiewał. Nikt nie miał najmniejszej wątpliwości, że właśnie z jego szeroko otwartych ust wydobywał się ów Głos.

– To jakiś okropny świat – powiedziała Czarownica. – Musimy natychmiast przenieść się stąd gdzie indziej. Przygotujcie swoje czary!

– W zupełności się z tobą zgadzam, pani – rzekł wuj Andrzej. – To miejsce jest wprost nie do przyjęcia. Całkowity brak cywilizacji. Gdybym był tylko młodszy i gdybym miał strzelbę...

— Do kroćset piorunów! — zawołał dorożkarz. — Nie chcesz chyba powiedzieć, że mógłbyś strzelić do NIEGO?!

— A czy W OGÓLE KTOŚ BY MÓGŁ? — dodała Pola.

— Przygotuj swe czary, stary głupcze — powtórzyła Jadis.

— Oczywiście, pani — odpowiedział wuj Andrzej z chytrą miną. — Dzieci muszą mnie dotykać. Włóż natychmiast swój pierścień, Digory! — Najwyraźniej chciał wrócić do Londynu bez Czarownicy.

— Ach, więc to są pierścienie?! — krzyknęła Jadis. Zanim jednak zdążyła sięgnąć do kieszeni Digory'ego, ten schwycił Polę za rękę i zawołał:

— Uważajcie! Jeśli któreś z was zbliży się choćby o cal, my dwoje znikniemy i zostawimy was tu na zawsze. Tak, mam w kieszeni pierścień, który może przenieść mnie i Polę do Londynu. Patrzcie, moja ręka jest blisko kieszeni. Trzymajcie się od nas z daleka. Przykro mi ze względu na pana — tu zwrócił się do dorożkarza — i konia, ale nic na to nie poradzę. A jeśli chodzi o was — tu spojrzał na wuja Andrzeja i królową — oboje jesteście czarodziejami, więc powinniście się cieszyć, że będziecie tutaj razem.

— Uciszyć mi się wszyscy, ale już! — przerwał mu dorożkarz. — Chcę posłuchać tej muzyki.

Bo oto pieśń wyraźnie się zmieniła.

ROZDZIAŁ 9

Stworzenie Narnii

LEW CHODZIŁ TU I TAM PO PUSTEJ, nagiej okolicy i śpiewał nową pieśń, bardziej melodyjną i rytmiczną, bardziej delikatną i falującą niż ta, którą wezwał na niebo gwiazdy i słońce. I kiedy tak chodził i śpiewał, dolina zazieleniła się trawą. Zieleń rozlewała się wokół niego jak woda z potężnego źródła, a potem płynęła po zboczach wzgórz jak fala. W ciągu kilku minut wspinała się już po niższych stokach odległych gór. Z każdą chwilą młody świat stawał się cieplejszy i żywszy. Lekki wiaterek mierzwił bujną trawę. Wyższe stoki gór pociemniały od wrzosów, dolina pokryła się jakimiś dziwnymi, brązowozielonymi cętkami. Digory nie mógł się zorientować, co to jest, dopóki jedna z tych dziwnych rzeczy nie pojawiła się tuż obok niego. Zobaczył początkowo niewielki, wyrastający z ziemi pęd, który rosnąc szybko, wypuścił z siebie mnóstwo innych pędów, pokrywających się natychmiast zielenią. Teraz naokoło nich było już wiele takich żywych pędów, lecz dopiero gdy urosły do wysokości człowieka, Digory zrozumiał, że widzi, jak rosną drzewa.

Był to naprawdę wspaniały widok. Trudno się dziwić Poli, która powiedziała później, że jedną z najbardziej nieznośnych rzeczy w jej życiu było to, że nie pozwolono im tego w spokoju oglądać. Bo w tej samej chwili, gdy Digory zawołał: „Drzewa!", musiał odskoczyć w bok, gdyż wuj Andrzej niepostrzeżenie przybliżył się do niego i już wsuwał mu rękę do kieszeni. Nie na wiele by się to zdało, bo w błędnym przekonaniu, że to zielone pierścienie przenoszą z powrotem na Ziemię, sięgnął do prawej kieszeni chłopca. Ale łatwo zrozumieć, że Digory nie chciał utracić żadnego z pierścieni.

– Cofnij się! – ryknęła Czarownica. – Jeszcze dalej! Jeśli ktoś spróbuje zbliżyć się do któregoś z tych dzieci choćby na dziesięć kroków, to rozwalę mu łeb! – Mówiąc to, wymachiwała groźnie żelazną sztabą, którą wyrwała z latarni. Nikt nie miał jakoś wątpliwości, że jeśli nią rzuci, to nie chybi.

– A więc to tak! – dodała po chwili. – Zamierzałeś uciec z tym chłopcem do swojego świata, a mnie tutaj zostawić!

Wuj Andrzej zdobył się wreszcie na odwagę.

– Tak, pani, zrobiłbym to – powiedział najbardziej stanowczym tonem, na jaki było go stać. – Bez wątpienia uczyniłbym to w każdej chwili. I miałbym do tego święte prawo. Zostałem przez ciebie potraktowany w sposób obrzydliwy i haniebny. Starałem się okazać ci tyle uprzejmości, ile tylko było w mojej mocy. I jaka mnie spotkała nagroda? Obrabowałaś – tak, muszę powtórzyć to słowo – OBRABOWAŁAŚ ogólnie szanowanego jubilera. Wymusiłaś na mnie, bym ci zafundował niezwykle drogi, żeby nie powiedzieć wystawny, obiad. Aby to uczynić, zmuszony byłem zastawić zegarek z dewizką, a wiedz, pani, że w mojej rodzinie nikt nie miał w zwyczaju odwiedzania lombardów, z wyjątkiem kuzyna Edwarda, ale on należał do ochotniczej kawalerii. Podczas tego ciężko strawnego posiłku – jeszcze teraz odczuwam jego fatalne skutki – twoje godne pożałowania zachowanie i słowa wzbudziły nieprzychylne zainteresowanie całej sali. Czuję się, jakbym został publicznie znieważony. Już nigdy nie będę mógł pokazać się w tej restauracji. Naruszyłaś nietykalność cielesną policjantów. Ukradłaś...

– Dość tych bzdur, panie starszy! – przerwał mu dorożkarz. – Tutaj się ogląda i słucha, a nie gada!

A rzeczywiście mieli co oglądać i czego słuchać. Drzewko, które Digory obserwował, wyrosło na dojrzały buk, a jego gałęzie kołysały się łagodnie nad głową chłopca. Stali na wilgotnej, zielonej łące, nakrapianej stokrotkami i jaskrami. Nieco dalej, nad brzegiem rzeki, rosły wierzby. Z drugiej strony pyszniły się w słońcu krzewy porzeczek, bzów, dzikich róż i rododendronów. Koń szczypał spokojnie soczystą świeżą trawę.

Przez cały czas Lew krążył po okolicy, nie przestając śpiewać. Trochę niepokoiło to, że zataczając kręgi, zawracając nagle i klucząc, za każdym razem nieco się do nich przybliżał. Polę coraz bardziej i bardziej zachwycał jego śpiew, bo wydawało się jej, że zaczyna dostrzegać związek między melodią a tym, co działo się w krajobrazie. Kiedy na krawędzi doliny pojawił się rząd ciemnych jodeł, poczuła, że ma to związek z serią głębokich, przedłużających się dźwięków, jakie Lew wydał z siebie chwilę przedtem. A kiedy wybuchnął kaskadą lekkich, wysokich tonów, nie była zaskoczona, że wszędzie naokoło zakwitły zawilce. Pola nabrała teraz prawie całkowitej pewności – a przekonanie to przejęło ją trudnym do opisania dreszczem – że wszystkie te rzeczy „wychodzą z głowy Lwa". Kiedy się słuchało jego śpiewu, SŁYSZAŁO się w nim te rzeczy, które stwarzał; kiedy się rozejrzało wokoło, już tam były. Budziło to w niej takie wzruszenie i zachwyt, że nie miała czasu, by się bać. Natomiast Digory i dorożkarz nie mogli się oprzeć pewnemu zaniepokojeniu, które narastało, w miarę jak Lew się do nich przybliżał. Jeśli chodzi o wuja Andrzeja, to zęby mu dzwoniły ze strachu, ale nie mógł uciec, bo za bardzo trzęsły mu się kolana.

Nagle Czarownica ruszyła dumnym krokiem na spotkanie Lwa, który zbliżał się powoli, nie przerywając śpiewu. Był już zaledwie o dziesięć, nie, o pięć metrów od niej, gdy szybkim ruchem podniosła ramię i cisnęła żelazną sztabę prosto w jego głowę. Z tej odległości nikt by nie chybił, a już na pewno nie Jadis. Sztaba uderzyła Lwa dokładnie między oczy, odbiła się i upadła na trawę z głuchym dźwiękiem. Lew kroczył dalej. Jego krok nie był ani wolniejszy, ani szybszy niż przedtem; sprawiał wrażenie, jakby w ogóle nie zauważył, że został ugodzony ciężkim żelastwem. Stąpał bezszelestnie, lecz wszyscy czuli, jak ziemia lekko drży pod jego krokami.

Czarownica wydała z siebie gardłowy okrzyk i rzuciła się do ucieczki. W ciągu kilku sekund zniknęła wśród drzew. Wuj Andrzej odwrócił się, by uczynić to samo, ale potknął się o jakiś korzeń i upadł twarzą prosto w mały strumyk, który biegł przez łąkę ku rzece. Dzieci zamarły, bojąc się poruszyć. Ale Lew nie zwracał na nie uwagi. Pysk miał otwarty, ale to, co się z niego wydobywało, nie było rykiem dzikiej bestii, tylko cudownym śpiewem. Ogarnął je lęk, że odwróci łeb i spojrzy na nie, a jednocześnie w jakiś dziwny sposób tego pragnęły. Lecz Lew zachowywał się tak, jakby byli niewidzialni i niewyczuwalni. Po kilku krokach zawró-

cił, przeszedł obok nich raz jeszcze i podążył dalej, ku wschodowi.

Wuj Andrzej podniósł się, plując i kasłąc.

— Posłuchaj, Digory — rzekł z wysiłkiem. — Pozbyliśmy się tej kobiety, a i ta dzika bestia już sobie poszła. Podaj mi rękę i natychmiast włóż swój pierścień.

— Trzymaj się z daleka! — odpowiedział Digory, odskakując od niego. — Uważaj na niego, Polu. Obejdź go i stań obok mnie. Ostrzegam cię, wuju, że jeśli zrobisz choć jeden krok w naszą stronę, po prostu znikniemy.

— Zrobisz to, co ci powiedziałem, i to zaraz! — krzyknął wuj Andrzej. — Jesteś najbardziej nieposłusznym i źle wychowanym chłopcem, jakiego spotkałem.

— Spokojnie — odpowiedział Digory. — Chcemy tu zostać i zobaczyć, co się stanie. Myślałem, że zawsze pragnąłeś się czegoś dowiedzieć o innych światach. Już cię to przestało interesować?

— Interesować?! — powtórzył wuj Andrzej. — Spójrz tylko, w jakim jestem stanie. To był mój najlepszy surdut. O, i kamizelka! — Rzeczywiście wyglądał teraz okropnie, bo tak już jest, że im więcej się ma na sobie ubrania (zwłaszcza eleganckiego), tym gorzej się wygląda, gdy się wyczołgało ze szczątków dorożki i wpadło do mulistego strumyka. — Nie chcę przez to powiedzieć — dodał — że nie jest to interesujące miejsce. Gdybym tylko był nieco młodszy... No, i ściągnąłbym tu jakiegoś odważnego, młodszego towarzysza, jednego z tych wielkich myśliwych. Można by coś zrobić z tego kraju. Klimat jest tu wyborny. Nigdy nie oddychałem takim powietrzem. Jestem przekonany, że zrobiłoby mi dobrze, gdyby... gdyby okoliczności były bardziej sprzyjające. Żebym tylko miał strzelbę...

— Niech diabli porwą wszystkie strzelby! — przerwał mu dorożkarz. — Pójdę i zobaczę, czy nie dałoby się jakoś wyczesać mojego Truskawka. Ten koń ma więcej oleju w głowie niż pewni ludzie, których nie będę wymieniać po imieniu. – Poszedł w kierunku konia, wydając z siebie dziwne dźwięki, jakimi porozumiewają się z końmi stajenni.

– Czy ty naprawdę uważasz, że TEGO Lwa można zabić kulą ze strzelby? – zapytał Digory. – Ta żelazna sztaba jakoś nie zrobiła na nim wrażenia.

– Niezależnie od wszystkich jej błędów – rzekł wuj Andrzej – to bardzo dzielna kobieta, mój chłopcze. To nie byle co, dokonać tego, co ona. – Zatarł ręce, a potem wyciągnął sobie z trzaskiem kilka palców, jakby znowu zapomniał o panicznym przerażeniu, jakie go ogarniało przy Czarownicy.

– To było strasznie podłe i nikczemne – powiedziała Pola. – Cóż złego jej zrobił?

– Hej! A co to takiego? – zawołał Digory i rzucił się do przodu, aby dokładniej zbadać coś, co znajdowało się kilka metrów od nich. – Polu! Mówię ci, chodź tutaj i sama zobacz!

Wuj Andrzej też zbliżył się z Polą, nie po to jednak, by popatrzeć, ale by trzymać się blisko dzieci w nadziei jakiejś nowej sposobności do kradzieży pierścienia. Ale kiedy zobaczył to, na co patrzył Digory, nawet i on wykazał zainteresowanie. Z trawy wyrastał doskonały model gazowej latarni ulicznej, wysokości około metra. I latarnia ta ROSŁA, tak jak kilka minut temu rosły drzewa!

– I jest żywa… to znaczy PALI SIĘ! – wysapał Digory. I tak rzeczywiście było, choć w blasku słońca z trudem dostrzegali płomień wewnątrz latarni, dopóki nie padł na nią czyjś cień.

– Godne uwagi, godne najwyższej uwagi – mruknął wuj Andrzej. – Nawet mnie nie śniły się takie czary. Znajdujemy się w świecie, w którym wszystko, nawet latarnia, ożywa i rośnie. Zastanawiam się tylko, z jakiego ziarna wyrasta latarnia?

– Nie rozumiesz, wuju? – zapytał Digory. – Tutaj właśnie upadła sztaba, ta, którą ona wyrwała z latarni w Londynie. Wbiła się w ziemię i wyrosła z niej mała latarenka. – (Prawdę mówiąc, latarnia nie była już teraz taka mała: sięgała głowy Digory'ego).

– Ależ tak! – zgodził się wuj Andrzej, zacierając ręce jeszcze mocniej niż zwykle. – Zdumiewające! Niesłychane! Ha! Wyśmiewali się z mojej magii. Ta głupia kobieta, moja siostra, myślała, że jestem obłąkany. Ciekawe, co by na to powiedzieli? Odkryłem świat, w którym wszystko tryska życiem i rozwojem. Kolumb, hmm, wciąż mówią o Kolumbie... Ale czym jest Ameryka w porównaniu z tym? Z punktu widzenia ekonomii i handlu możliwości tego kraju są wprost niewyczerpane. Wystarczy przenieść tu parę kawałków starego żelastwa, zakopać je w ziemi i czekać spokojnie, aż wyrośnie nowa lokomotywa, krążownik – wszystko, czego się zapragnie. I to bez żadnych nakładów finansowych, a można je sprzedać w Anglii za pełną cenę. Będę milionerem. I ten klimat! Już teraz czuję się o dwadzieścia lat młodziej. Mogę tu założyć uzdrowisko. Dobre sanatorium w tym kraju przyniosłoby ze dwadzieścia tysięcy funtów rocznie. Oczywiście będę musiał dopuścić do tajemnicy kilka osób. Przede wszystkim trzeba zastrzelić tę dziką bestię.

— Jest pan taki sam jak Czarownica — powiedziała Pola. — Myśli pan tylko o zabijaniu.

— A teraz, jeżeli chodzi o mnie — ciągnął wuj Andrzej rozmarzonym głosem. — Ciekawe, jak długo mógłbym żyć, gdybym tu zamieszkał. A to nie taka błahostka, gdy się przekroczyło sześćdziesiątkę. Nie zdziwiłbym się wcale, gdybym w tym kraju nigdy się nie starzał! Niesłychane! Kraj Młodości!

— Och! — krzyknął Digory. — Kraj Młodości! Myślisz, że to właśnie tutaj? — Bo, oczywiście, przypomniał sobie natychmiast, co ciotka Letycja powiedziała do owej kobiety, która przyniosła winogrona, i odżyła w nim nadzieja. — Wuju Andrzeju! Czy myślisz, że można tu znaleźć coś, co by uleczyło mamę?

— O czym ty mówisz? — rzekł wuj niecierpliwie. — To nie apteka. Mówiłem...

— Moja matka obchodzi cię tyle co zeszłoroczny śnieg! — przerwał mu Digory z wypiekami na twarzy. — Myślałem, że powinna cię obchodzić, w końcu jest twoją siostrą. No cóż, nie było rozmowy. Pójdę i poproszę o pomoc samego Lwa.

Odwrócił się i odszedł szybkim krokiem. Pola stała przez chwilę oniemiała, a potem pobiegła za nim.

— Hola! Zatrzymajcie się! Wróćcie! Ten chłopak zwariował! — wołał wuj Andrzej. Poszedł za dziećmi w bezpiecznej odległości, nie chciał bowiem ani oddalać się zbytnio od zielonych pierścieni, ani zbliżać się za bardzo do Lwa.

W kilka minut Digory doszedł do skraju lasu i się zatrzymał. Lew wciąż śpiewał, lecz jego pieśń znowu się zmieniła. Tym razem jeszcze bardziej przypominała to, co nazywamy melodią, ale jednocześnie brzmiała o wiele bardziej dziko. Śpiew sprawiał, że chciało się biec, skakać, wspinać na drzewa i góry; sprawiał, że chciało się krzyczeć, pędzić ku innym ludziom i albo ich uściskać, albo z nimi walczyć. Digory'emu zrobiło się gorąco, a na twarzy zakwitły mu rumieńce. Nawet wuj Andrzej ożywił się i Digory słyszał, jak mruczy do siebie: „Dzielna dziewczyna, mój panie, ot co. Szkoda, że nie potrafi nad sobą panować, ale jest diabelnie piękną kobietą, naprawdę wspaniałą kobietą". Jednakże to, co nowa pieśń Lwa czyniła z ludźmi, było niczym w porównaniu z tym, co sprawiała w otoczeniu.

Czy możecie sobie wyobrazić porośniętą gęstą trawą łąkę, gotującą się jak owsianka w garnku? Właśnie takie porównanie najlepiej oddaje to, co się działo. Gdziekolwiek się spojrzało, powierzchnia łąki wybrzuszała się w dziwaczne garby. Przybierały najróżniejsze rozmiary: jedne nie większe od pagórków, jakie robią krety, inne wielkie jak taczki, dwie wielkości sporych chałup. Garby te poruszały się, falowały i marszczyły, a potem gwałtownie pękały, pokruszona ziemia opadała i z każdego wychodziło jakieś zwierzę, a czasami nawet kilka tego samego gatunku. Krety wychodziły z małych krecich pagórków, jak to się dzieje w Anglii. Psy wyskakiwały z radosnym szczekaniem, gdy tylko ziemia opadła im z łbów, i walczyły, kto wyskoczy pierwszy, jak to się nieraz widzi na wsi przy dziurze w płocie lub ścianie stodoły. Jelenie pojawiały się w najdziwaczniejszy chyba sposób, bo oczywiście najpierw wyrastały z pagórka rogi, a dopiero po dłuższym czasie wychodziło całe zwierzę, tak że w pierwszej chwili Digory myślał, że to znowu rosną drzewa. Żaby

wyskakiwały z małych garbów tuż nad rzeką i od razu wpadały do wody z głośnym skrzekiem. Pantery, leopardy i inne dzikie koty natychmiast siadały, aby wylizać futra z resztek ziemi, a potem ostrzyły sobie pazury o pnie drzew. Całe chmary ptaków wylatywały spomiędzy gałęzi drzew. Motyle trzepotały skrzydełkami. Pszczoły rzucały się do pracy, obsiadając kwiaty, jakby nie miały ani chwili do stracenia. Ale największym wydarzeniem był moment, w którym olbrzymie wybrzuszenie rozmiarów małego domku pękło, jakby się zaczęło trzęsienie ziemi, i wynurzyły się z niego po kolei: najpierw spadzisty grzbiet, potem wielka, mądra głowa, a na końcu cztery nogi, jakby przykryte modnymi, bufiastymi spodniami – i oto stał przed nimi najprawdziwszy słoń! Teraz nie słychać już było

śpiewu Lwa, bo wszędzie rozlegało się głośne krakanie, gruchanie, pianie, rżenie, ujadanie, porykiwanie, beczenie i trąbienie.

Ale chociaż Digory nie słyszał  już Lwa, wciąż go widział. Był tak wielki i promienny, że chłopiec nie mógł oderwać od niego oczu. Nic nie wskazywało na to, aby inne zwierzęta się go bały. Nagle usłyszał za sobą tętent kopyt i zanim zdążył się odwrócić, minął go cwałem stary dorożkarski koń i przyłączył się do reszty zwierząt. (Powietrze najwyraźniej służyło mu tak dobrze jak wujowi Andrzejowi, bo nie wyglądał już jak biedna, zniewolona szkapa, jaką był w Londynie; stąpał z gracją, wysoko unosząc kopyta, a szyję miał dumnie wyprostowaną.) Teraz Lew przestał śpiewać. Krążył wśród zwierząt tu i tam, pozornie bez żadnego celu, ale kiedy Digory obserwował go uważnie, spostrzegł, że od czasu do czasu podchodzi do pary zwierząt i dotyka ich nosów swoim nosem. Dotykał w ten sposób tylko jednej pary

z każdego gatunku; dwa bobry spośród wszystkich bobrów, dwa leopardy spośród wszystkich leopardów, jednego jelenia i jedną łanię spośród wszystkich jeleni. Niektóre gatunki zwierząt w ogóle pominął. Pary, które wybierał, natychmiast zostawiały swoich towarzyszy i szły za nim. I wreszcie przyszedł czas, kiedy Lew stanął nieruchomo, a naokoło niego w wielkim kręgu zebrały się wszystkie wybrane przez niego stworzenia. Reszta zaczęła się rozchodzić i wkrótce pozni-

kała w trawie, zaroślach i pomiędzy wzgórzami. Wybrane zwierzęta umilkły i utkwiły spojrzenia w Lwie. Wszystkie zastygły w bezruchu, tylko końce ogonów dzikich kotów drgały od czasu do czasu, jakby żyły swoim własnym życiem. Po raz pierwszy w tym dniu zapanowała całkowita cisza, jeśli nie liczyć szemrania wody w rzece. Digory'emu serce biło mocno: czuł, że ma nastąpić coś bardzo uroczystego. Nie zapomniał o swojej matce, ale wiedział dobrze, że nawet dla niej nie powinien zakłócić tego, co się działo.

Lew wpatrywał się w zwierzęta tak, jakby chciał je spalić swoim spojrzeniem. I stopniowo dokonywała się w nich dziwna zmiana. Małe stworzenia – takie jak króliki czy krety – nieco urosły. Wielkie – a można to było zauważyć, patrząc zwłaszcza na słonie – nieco zmalały. Wiele zwierząt przysiadło na tylnych łapach, wiele przekrzywiło głowy w dziwaczny sposób, jakby próbowały za wszelką cenę Lwa zrozumieć. Lew otworzył pysk, ale tym razem nie wydobył się z niego żaden dźwięk, lecz długie, ciepłe tchnienie, które ogarnęło zwierzęta i zakołysało nimi, jak podmuch wiatru kołysze rzędem drzew. Wysoko, spoza woalu błękitu, zaśpiewały ponownie gwiazdy, napełniając przestrzeń czystą, chłodną, trudną muzyką. A potem zabłysło coś jak ogień lub błyskawica, nie wiadomo, czy z nieba, czy z samego Lwa. Niesamowity dreszcz przeniknął dzieci aż do szpiku kości. Najgłębszy, najdzikszy głos, jaki kiedykolwiek słyszały, mówił:

– Narnio, Narnio, Narnio, przebudź się! Kochaj. Myśl. Mów. Bądź chodzącymi drzewami. Bądź mówiącymi zwierzętami. Bądź uduchowionymi wodami.

ROZDZIAŁ 10

Pierwszy żart i inne sprawy

BYŁ TO, OCZYWIŚCIE, GŁOS LWA. Dzieci przeczuwały już od dawna, że Lew potrafi mówić, a jednak gdy wreszcie przemówił, doznały wstrząsu, jednocześnie cudownego i strasznego.

Z drzew powychodziły dziwne, dzikie istoty – duchy i boginki lasu, wraz z nimi pojawiły się fauny, satyry i karły. Z rzeki powstał duch rzeki ze swymi córkami, najadami. A wszystkie te istoty, a z nimi wszystkie zwierzęta i ptaki, odpowiedziały chórem najróżniejszych głosów, niskich i wysokich, grubych i cienkich:

– Bądź pozdrowiony, Aslanie! Słuchamy cię i jesteśmy posłuszni. Jesteśmy przebudzeni. Kochamy. Myślimy. Mówimy. Wiemy.

– Wybacz nam, panie, ale my jeszcze za dobrze nie wiemy – odezwał się jakiś nosowy i chrapliwy głos. Dzieci aż podskoczyły z wrażenia, bo w ten sposób przemówił ni mniej, ni więcej, tylko koń dorożkarza.

– Kochany, dobry Truskawek – powiedziała cicho Pola. – Jakże się cieszę, że i on został wybrany, by zostać jednym z mówiących zwierząt.

A dorożkarz, który stał teraz obok dzieci, rzekł:

— Niemożebne! Ale ja zawsze mówiłem, że ten koń ma sporo oleju w głowie.

— Wolne stworzenia, daję wam siebie nawzajem! — rozległ się mocny, radosny głos Aslana. — Daję wam na zawsze tę krainę, Narnię. Daję wam lasy, owoce, rzeki. Daję wam gwiazdy i daję wam siebie. Nieme zwierzęta, te, których nie wybrałem, również do was należą. Traktujcie je dobrze, opiekujcie się nimi, lecz

nie wracajcie do ich sposobu życia, jeśli nie chcecie przestać być mówiącymi zwierzętami. Bo z nich was wywiodłem i do nich możecie powrócić. Pamiętajcie, nie róbcie tego.

– Nie, Aslanie, nie zrobimy tego – odpowiedzieli wszyscy chórem. Ale jedna zadzierżysta kawka dodała: – Nie ma obawy! – A ponieważ wszyscy akurat umilkli chwilę przedtem, jej słowa zabrzmiały wyraźnie w całkowitej ciszy. Być może przekonaliście się już kiedyś na własnej skórze, jakie to może być okropne, na przykład na przyjęciu. Kawka tak się zawstydziła, że schowała głowę pod skrzydło, jakby miała zamiar spać. Wszystkie pozostałe zwierzęta zaczęły się śmiać, każde na swój sposób, co sprawiało, że cała polana rozbrzmiewała dziwacznymi odgłosami, jakich, rzecz jasna, jeszcze nikt nigdy nie słyszał w naszym świecie. Z początku zwierzęta próbowały tłumić śmiech, ale Aslan powiedział:

– Śmiejcie się do woli i nie lękajcie się! Teraz, kiedy już nie jesteście niemi i tępi, nie musicie być zawsze poważni. Bo żarty, tak jak i sprawiedliwość, zaczynają się wraz z mową.

Śmiano się więc do woli. I zapanowała taka wesołość, że kawka zdobyła się na odwagę, podfrunęła, usiadła na głowie konia i machając skrzydłami zawołała:

– Aslanie! Aslanie! A więc to ja wynalazłam żarty? Czy odtąd wszyscy będą mówili, że to ja byłam twórczynią pierwszego żartu?

– Nie, moja mała przyjaciółko – odrzekł Lew. – Nie STWORZYŁAŚ żartu. Sama JESTEŚ pierwszym żartem. – I wszyscy śmiali się jeszcze bardziej, a kawka nie zrozumiała dokładnie, o co chodzi, lecz sama śmiała się tak głośno, że koń potrząsnął głową, ptak spadł i dopiero tuż nad ziemią przypomniał sobie, że ma skrzydła.

– A więc Narnia została założona – powiedział Aslan. – Teraz musimy uczynić ją bezpiecznym krajem. Kilku z was powołam do swojej rady. Podejdź do

mnie, ty, karle, i ty, duchu rzeki, i ty, dębie, i ty, sowo, i wy, oba kruki, i ty, słoniu. Musimy się naradzić. Bo chociaż ten świat nie ma jeszcze pięciu godzin, już wkroczyło weń zło.

I na czele wymienionych przez siebie stworzeń od-
dalił się na wschód. Wśród pozostałych rozległy się po
chwili rozmowy i można było słyszeć takie mniej więcej zdania: „Co wkroczyło, co on powiedział?" – „Jakieś ZEZŁO". – „A co to jest ZEZŁO?" – „Nie, on
nie powiedział ZEZŁO, powiedział WLEZŁO". – „No
dobrze, ale co to jest?"

— Posłuchaj – rzekł Digory do Poli – musimy pójść
za nim, za Aslanem, to znaczy Lwem. Muszę z nim
pomówić.

— Myślisz, że możemy? Jakoś nie mam odwagi.

— Ja po prostu muszę. Chodzi o moją matkę. Jeżeli
jest ktoś na świecie, kto może mi dać coś, co ją uleczy,
to jest nim tylko on.

— Pójdę z tobą, chłopcze – odezwał się dorożkarz. –
Okropnie lubię na niego patrzeć. Przecież nas nie zjedzą. I chcę zamienić słówko ze starym Truskawkiem.

Tak więc we trójkę podeszli krokiem tak śmiałym,
na jaki ich było stać, ku zgromadzeniu na łące. Zwierzęta, bardzo zajęte rozmowami i zawieraniem przy-
jaźni, nie zauważyły ich, dopóki nie podeszli blisko.
Nie słyszały też wuja Andrzeja, który zatrzymał się
dość daleko i trzęsąc się ze strachu wołał piskliwym,
załamującym się głosem:

— Digory! Wracaj! Wracaj natychmiast, kiedy ci
każę. Zabraniam ci uczynić choćby jeden krok więcej!

Kiedy zwierzęta wreszcie ich dostrzegły, na polanie
zrobiło się nagle bardzo cicho.

— A to ci dopiero! – zabrzmiał wreszcie głos bobra.
– A cóż to takiego jest, na Aslana!

– Zechciejcie... – zaczął Digory słabym głosem, ale królik przerwał mu, mówiąc:

– To jest chyba jakiś rodzaj wielkiej sałaty.

– O nie, nic podobnego! – oburzyła się Pola. – W ogóle nie jesteśmy jadalni.

– O, słyszycie? – zawołał kret. – A więc to mówi. Czy ktoś słyszał o mówiącej sałacie?

– A może oni są drugim żartem? – podsunęła kawka.

Pantera, która myła sobie bardzo dokładnie pysk, przerwała na chwilę i powiedziała:

– Cóż, jeśli tak, to pierwszy był o wiele lepszy. Przynajmniej ja nie widzę w nich nic śmiesznego. – I ziewnęła, a potem powróciła do swojego zajęcia.

– Och, błagam was, posłuchajcie – rzekł Digory. – Bardzo mi się spieszy. Chcę się widzieć z Lwem.

Przez cały czas dorożkarz starał się zwrócić na siebie uwagę Truskawka. W końcu ich spojrzenia się spotkały.

– Truskawku, mój staruszku – powiedział – przecież mnie znasz. Chyba nie zamierzasz stać sobie spokojnie, jakbyś mnie zobaczył pierwszy raz w życiu?

– O czym ta rzecz mówi, koniu? – zapytało kilka głosów.

– Mówiąc szczerze – odpowiedział Truskawek – sam nie bardzo wiem. Myślę, że większość z nas w ogóle niewiele jeszcze wie. Ale mam takie wrażenie, jakbym już gdzieś widział coś podobnego. Mam takie uczucie, jakbym już kiedyś żył gdzie indziej albo był kimś innym, zanim Aslan obudził nas kilkanaście minut temu. To wszystko jest bardzo niejasne. Ale takie rzeczy, jak te trzy tutaj, na pewno pojawiają się w snach.

– Co? – oburzył się dorożkarz. – Nie znasz mnie? Mnie, który ci przynosiłem wieczorem ciepłą breję z owsem, kiedy byłeś do niczego? Mnie, który ci narzucałem na grzbiet kawał porządnej derki, gdy musiałeś spać na zimnie? Niech skonam, jeśli mi kiedykolwiek przyszło do głowy, że możesz się tak zachować, Truskawku.

– Tak, teraz ZACZYNAM coś sobie przypominać – powiedział koń. – Tak. Niech no pomyślę. Tak, teraz sobie przypominam, że to ty przywiązywałeś mi z tyłu jakiś okropny, ciężki, czarny przedmiot, a potem zacinałeś mnie batem, żebym biegł truchtem i zawsze, zawsze ta czarna rzecz toczyła się za mną ze wstrętnym grzechotem.

– Zrozum, braciszku, musieliśmy jakoś zarabiać na życie – rzekł dorożkarz. – Nie tylko na moje, ale i na twoje. Gdyby nie było harówki i bata, nie byłoby stajni, siana, ciepłej brei i owsa. A bardzo lubiłeś owies, jeśli tylko mogliśmy sobie na to pozwolić. Chyba temu nie zaprzeczysz?

– Owies? – zapytał Truskawek, podnosząc uszy. – Tak, coś sobie przypominam. Tak, coraz lepiej wszystko pamiętam. Ty zawsze siedziałeś gdzieś wysoko, z tyłu, a ja zawsze musiałem biec truchtem z przodu, ciągnąc ciebie i tę czarną rzecz. Tak, teraz wiem, że to na mnie spadała cała praca.

– W lecie, zgoda – przyznał dorożkarz. – Harowałeś w pocie czoła, a ja siedziałem sobie w chłodzie.

Ale pomyśl o zimie, braciszku, kiedy ty rozgrzewałeś się w biegu, a ja siedziałem z nogami jak sople lodu, nos mi odpadał z zimna na wietrze, a ręce sztywniały jak nieboszczykowi, tak że z trudem utrzymywałem lejce...

– To był twardy, okrutny świat – powiedział koń. – Tam w ogóle nie było trawy. Same twarde kamienie.

– Święta racja, braciszku, święta racja! – przyznał dorożkarz. – To było piekielnie twarde życie. Zawsze mówiłem, że bruk nie jest dobry dla konia. Taki już jest ten nasz parszywy Londyn. A myślisz, że mnie się to podobało? Ty jesteś koniem ze wsi i ja też jestem ze wsi. Aż mnie coś w środku ściska, kiedy pomyślę, że zawsze śpiewałem w kościelnym chórze. Ale tam nie było dla mnie życia, ot co.

– Och, błagam was, dajcie już spokój – odezwał się Digory. – Możemy iść? Lew oddala się od nas z każdą chwilą. A ja naprawdę muszę z nim porozmawiać. To dla mnie strasznie ważne.

– Rozumiesz teraz, Truskawku? – zapytał dorożkarz. – Ten młody pan ma na głowie jakąś ważną sprawę, o której chce porozmawiać z tym Lwem, co go nazywacie Aslanem. A może byś się zgodził, żeby pojechał na tobie... nie bój się, zrobi to z czuciem... tam, gdzie jest Lew? Truchtem. A ja z tą panienką pójdziemy za wami.

– Żeby pojechał na mnie? Och, teraz pamiętam. To znaczy, że musiałby wleźć na mój grzbiet. Pamiętam, że kiedyś, dawno temu, był taki jeden z was, dwunogów, który to robił. Tylko że on zawsze miał w kieszeni małe, kwadratowe kawałki czegoś takiego białego i twardego. Zawsze mnie przedtem tym częstował. Ach, to smakowało cudownie, to było słodsze od trawy!

– Pewnie ci chodzi o kostkę cukru – rzekł dorożkarz.

– Bardzo cię proszę, Truskawku – przerwał im znowu Digory – pozwól mi usiąść na twoim grzbiecie i zawieź mnie do Aslana.

– No cóż, nie będę się sprzeciwiać, przynajmniej tym razem. Właź.

– Dobry, stary Truskawek – rzekł dorożkarz. – Chodź, młodzieńcze, podsadzę cię.

Wkrótce Digory siedział już na koniu, zresztą całkiem pewnie, bo już nieraz jeździł na oklep na swoim kucyku na wsi.

– A teraz w drogę, Truskawku! Wioooo!

– A nie masz przypadkiem przy sobie tej białej, twardej rzeczy?

– Niestety, nie mam – odrzekł Digory.

– Cóż, nic na to nie poradzimy – westchnął koń i ruszył w drogę.

W tym momencie wielki buldog, który od pewnego czasu węszył niespokojnie i wypatrywał czegoś w oddali, rzekł:

– Spójrzcie. Czy to nie jest jeszcze jedno takie dziwne stworzenie na dwóch nogach, tam, nad rzeką, między krzewami?

Wszystkie zwierzęta popatrzyły w tamtym kierunku i zobaczyły wuja Andrzeja stojącego nieruchomo wśród rododendronów i mającego nadzieję, że nikt go nie widzi.

— Chodźcie! Zobaczymy, kto to taki — odezwało się kilka głosów. I tak, podczas gdy Truskawek oddalał się szybkim truchtem z Digorym na grzbiecie (a Pola i dorożkarz próbowali za nimi nadążyć pieszo), większość Narnijczyków ruszyła ku wujowi Andrzejowi z porykiwaniem, ujadaniem, chrząkaniem i innymi odgłosami pogodnego zainteresowania.

Musimy teraz cofnąć się nieco w czasie, żeby wyjaśnić, jak cała ta scena wyglądała z punktu widzenia wuja Andrzeja. A możecie być pewni, że wszystko to, co się tam działo, robiło na nim zupełnie inne wrażenie niż na dorożkarzu i dzieciach. Bo tak już jest, że to, co się widzi i słyszy, zależy w dużej mierze od tego, gdzie się stoi i kim się jest.

Od samego początku, gdy tylko zaczęły się pojawiać różne zwierzęta, wuj Andrzej właził coraz głębiej w zarośla. Przez cały czas obserwował je uważnie, ale nie tyle z ciekawości, ile z obawy, czy nie zamierzają się na niego rzucić. Podobnie jak Czarownica, był osobą bardzo praktyczną. Nie zauważył, że Aslan wybrał po jednej parze z większości gatunków zwierząt, widział tylko mnóstwo niebezpiecznych, dzikich bestii, krążących bez celu tu i tam. Dziwiło go jedno: dlaczego wszystkie inne zwierzęta nie uciekają przed Lwem.

Kiedy nadeszła owa wielka chwila, w której zwierzęta przemówiły, wuj Andrzej w ogóle tego nie zauważył, a stało się tak z dość interesującego powodu. Od same-

go początku, gdy Lew zaczął śpiewać w ciemnościach, wuj Andrzej zdał sobie sprawę, że to, co słyszy, jest jakąś pieśnią. Ale pieśń bardzo mu się nie podobała. Sprawiała, że czuł się tak, jak wcale nie chciał się czuć, a do głowy przychodziły mu takie myśli, które wcale nie sprawiały mu przyjemności. Potem, kiedy wzeszło słońce i zobaczył, kto tak śpiewa („To tylko jakiś lew" – pomyślał wtedy z ulgą), uparcie wmawiał w siebie, że Lew nie śpiewa i nigdy nie śpiewał – tylko ryczy, tak jak każdy lew w naszym świecie, zamknięty w ogrodzie zoologicznym. „Przecież to oczywiste, że lew nie może naprawdę śpiewać – myślał. – Musiało mi się tylko zdawać. W końcu trudno się dziwić, nerwy mam zupełnie rozstrojone. Czy ktoś kiedykolwiek słyszał o śpiewającym lwie?" A im dłużej i piękniej Lew śpiewał, tym usilniej wuj Andrzej próbował w siebie wmówić, że przecież nie może słyszeć żadnego śpiewu, tylko zwykły ryk. A tak już, niestety, bywa, że kiedy ktoś próbuje być głupszym, niż jest, bardzo często staje się

głupszy naprawdę. W każdym razie wujowi Andrzejowi to się udało. Wkrótce zamiast cudownego śpiewu Aslana słyszał tylko ryk lwa. Wkrótce też po prostu nie mógł już słyszeć niczego prócz ryku, nawet gdyby chciał. I kiedy w końcu Aslan przemówił i powiedział: „Narnio, przebudź się!", wuj Andrzej nie słyszał żadnych słów, tylko jakieś warczenie. A kiedy zwierzęta w odpowiedzi przemówiły, słyszał tylko szczekanie, pomrukiwanie, porykiwanie i wycie. A kiedy wybuchnęły śmiechem – no cóż, sami możecie sobie to wyobrazić. I było to dla niego, oczywiście, gorsze niż wszystko, co się do tej pory wydarzyło: straszliwy, mrożący krew w żyłach, ogłuszający ryk głodnych i wściekłych bestii, jakiego nie słyszał nawet w najbardziej koszmarnych snach. A potem ku swemu największemu przerażeniu zobaczył, że trójka pozostałych ludzi wychodzi na środek łąki, by spotkać się ze zwierzętami.

„Głupcy! – powiedział sobie w duchu. – Teraz te bestie połkną pierścienie razem z dziećmi i nigdy już nie wrócę do domu. Cóż to za samolubny potwór, ten Digory! Reszta też nie jest lepsza. Jeśli chcą pożegnać się z życiem, to ich sprawa. Ale co będzie ze MNĄ? Wcale o tym nie myślą. Nikt o MNIE nie myśli".

Kiedy cała chmara zwierząt ruszyła biegiem ku niemu, wuj Andrzej zrobił to, co niewątpliwie musiało być dla niego jedynym mądrym wyjściem: odwrócił się i zaczął uciekać, przekonany, że ratuje w ten sposób życie. Teraz każdy miał sposobność zobaczyć, co ze starszym panem zrobiło magiczne powietrze tego młodego świata. W Londynie byłby za stary, aby w ogóle biec: tutaj pędził z szybkością, która dałaby mu na pewno zwycięstwo w biegu na sto metrów w każdej angielskiej szkole. Wspaniale wyglądały przy tym powiewające za nim poły surduta. Nie ulegało jednak wątpliwości, że nie ma żadnych szans. Wśród zwierząt wiele było szybkich z natury, a biegły po raz pierwszy w życiu; wszystkie chciały wypróbować swoje nowe mięśnie.

– Za nim! Za nim! – rozległy się okrzyki. – Może to jest właśnie WLAZŁO, o którym mówił Lew? Chyżo! Ho-ooo! Odciąć mu drogę! Okrążyć go! Hurrra!

W ciągu kilku minut najszybsze zwierzęta wyprzedziły go i zabiegły mu drogę. Krąg zamknął się i zacieśnił. Wuj Andrzej zatrzymał się, otoczony zewsząd tak strasznymi dla niego istotami, że był już pewien swego końca. Nad nim piętrzyły się rogi dwóch łosi i szary masyw głowy słonia. Za sobą słyszał chrapliwe, groźne pomrukiwanie niedźwiedzi i stłumiony ryk dzików. Przed nim zamarły leopardy i pantery z pełnymi wściekłości (jak mu się wydawało) pyskami, kołysząc miarowo ogonami. Tym, co przerażało go najbardziej, było mnóstwo otwartych pysków. Oczywiście zwierzęta oddychały w ten sposób po szybkim biegu, ale wuj Andrzej był przekonany, że po prostu zamierzają go zjeść. Stał więc, słaniając się na nogach i drżąc jak osika. Nigdy, nawet w młodości, nie lubił zwierząt: zwykle raczej się ich bał, a lata okrutnych doświadczeń na zwierzętach sprawiły, że znienawidził je i odczuwał przed nimi jeszcze większy lęk.

— A teraz, mój panie — rzekł buldog tonem dość oficjalnym — powiedz: jesteś zwierzęciem, rośliną czy minerałem?

Tak wyraźnie zapytał, lecz wuj Andrzej usłyszał tylko: „Trrrr-zrrrrr-mrrrrr?"

ROZDZIAŁ 11

Digory i jego wuj mają kłopoty

MOŻE SIĘ WAM WYDAWAĆ, że zwierzęta nie okazały wielkiej mądrości, skoro nie potrafiły od razu stwierdzić przynależności wuja Andrzeja do tego samego gatunku stworzeń co dwoje dzieci i dorożkarz. Musicie jednak pamiętać, że nie miały pojęcia o czymś takim jak ubranie. Dla nich sukienka Poli i typowy strój z Norfolku, jaki nosił Digory, czy melonik dorożkarza były takimi samymi częściami ciała jak ich własne futra czy pióra. Jestem pewien, iż nigdy by nie zgadły, że nawet tych troje należy do tego samego gatunku, gdyby z nimi nie porozmawiały i gdyby Truskawek nie wydawał się tego pewien. A wuj Andrzej był o wiele wyższy od dzieci i o wiele cieńszy od dorożkarza. Ubrany był cały na czarno z wyjątkiem białej kamizelki i koszuli (zresztą teraz już nie bardzo białych), a jeśli się do tego doda jego bujną czuprynę siwych włosów (teraz dziko potarganych), to trudno się dziwić, że w niczym nie przypominał im trzech pozostałych przedstawicieli rodzaju ludzkiego. Na domiar wszystkiego nie miały dotąd sposobności przekonania się, że wuj Andrzej w ogóle potrafi mówić.

Nie znaczy to, by nie próbował. Kiedy buldog zadał mu pytanie (czyli, jak myślał wuj, najpierw na niego szczeknął, a potem warknął), starszy pan wyciągnął do niego trzęsącą się rękę i wysapał coś takiego jak: „Dobra psinka, dobra". Ale zwierzęta nie rozumiały jego mowy, podobnie jak on nie rozumiał ich. Nie słyszały żadnych słów, tylko jakieś bezładne, skwierczące dźwięki. Może zresztą dobrze, że nie rozumiały, bo jeszcze nie słyszałem, by jakikolwiek pies – a tym bardziej mówiący pies z Narnii – lubił, gdy się go nazywa „dobrą psinką", podobnie jak żadne z was nie lubi, gdy się go nazywa „moim małym brzdącem".

A potem wuj Andrzej zemdlał ze strachu i padł jak kłoda na ziemię.

– Popatrzcie! – odezwał się guziec*. – Teraz widać, że to tylko jakieś drzewo. Od początku tak myślałem.

– (Pamiętajcie, że te zwierzęta nigdy jeszcze nie widziały, jak ktoś mdleje.)

Buldog obwąchał dokładnie całego wuja Andrzeja, podniósł łeb i oznajmił:

– To jest zwierzę. Z całą pewnością. I bardzo możliwe, że tego samego gatunku co tamtych troje.

– Nie wydaje mi się, by tak było – rzekł jeden z niedźwiedzi. – Zwierzę nie przewróciłoby się tak nagle na ziemię. My jesteśmy zwierzętami i jakoś się nie przewracamy. Stoimy. O, tak. – Stanął na tylnych ła-

---

* Guziec to afrykańskie zwierzę z rodziny świń, które ma na głowie rogowate wyrostki przypominające guzy (przyp. tłum.).

pach, zrobił krok do tyłu, potknął się o nisko rosnącą gałąź i padł jak długi na ziemię.

— Trzeci żart, trzeci żart, trzeci żart! — zaczęła wrzeszczeć kawka.

— A ja wciąż uważam, że to rodzaj drzewa — upierał się guziec.

— Jeśli to jest drzewo, to może w nim być gniazdo pszczół — zauważył inny niedźwiedź.

— Jestem pewien, że to nie drzewo — rzekł bóbr. — Wydawało mi się, że próbowało coś powiedzieć, zanim się przewróciło.

— To tylko wiatr szumiał w jego gałęziach — odpowiedział guziec.

— Ale chyba nie sądzisz — powiedziała kawka do bobra — że to jest MÓWIĄCE zwierzę. Nie powiedziało jeszcze ani jednego słowa.

— A jednak, moi drodzy — odezwała się słonica (jak pamiętacie, jej małżonek został odwołany przez Aslana na naradę) – a jednak to może być jakiś gatunek zwierzęcia. Czy ta biaława bryłka na jednym końcu nie może być czymś w rodzaju twarzy? A te dziury, czy nie wyglądają jak oczy i usta? Nosa co prawda nie ma, ale... hm... nie trzeba mieć ciasnych poglądów. W końcu i wśród nas tylko niewielu ma coś, co naprawdę można nazwać NOSEM. I ze zrozumiałą dumą wyciągnęła na całą długość swoją trąbę.

– Sprzeciwiam się stanowczo takim uwagom – powiedział buldog.

– Słoń ma całkowitą rację – rzekł tapir.

– Powiem wam, co to jest! – odezwał się nagle osioł. – To jest zwierzę, które nie potrafi mówić, ale myśli, że potrafi.

– Czy nie dałoby się go postawić? – zapytała słonica. Wyciągnęła trąbę, otoczyła nią delikatnie ciało wuja Andrzeja i postawiła je... niestety, do góry nogami, tak że z kieszeni wysypały się monety: dwie dziesięcioszylingówki, trzy półkoronówki i jedna sześciopensówka. Ale nic z tego nie wyszło. Wuj Andrzej po prostu padł na ziemię po raz drugi.

– No proszę! Popatrzcie! – odezwały się głosy. – To nie jest żadne zwierzę. To w ogóle nie jest żywe.

– Mówię wam, że to JEST zwierzę – rzekł buldog. – Sami powąchajcie.

– Zapach to jeszcze nie wszystko – zauważyła słonica.

– Co?! – zdenerwował się buldog. – Jeśli nie można zawierzyć swojemu węchowi, to niby czemu można zawierzyć?

– A może by tak zawierzyć swojemu mózgowi? – odpowiedziała pytaniem słonica.

– Stanowczo sprzeciwiam się takim uwagom – warknął buldog.

– No cóż, w każdym razie coś z tym trzeba zrobić – powiedziała słonica. – Być może to jest właśnie WLAZŁO, więc trzeba je pokazać Aslanowi. Co o tym myśli większość z nas? Czy to jest zwierzę, czy coś w rodzaju drzewa?

– Drzewo! Drzewo! – rozległo się z tuzin głosów.

– A więc dobrze. Jeśli jest drzewem, to trzeba je zasadzić. Musimy wykopać dziurę.

Dwa krety natychmiast wykonały to zadanie. Teraz zaczęto się spierać, którym końcem należy wuja Andrzeja zasadzić i niewiele brakowało, by go wsadzono głową do ziemi. Sporo zwierząt utrzymywało, że jego nogi są gałęziami, a owa szara, puszysta rzecz z drugiego końca to po prostu splątane korzonki. Ale na szczęście większość była zdania, że jego rozwidlone zakończenie jest bardziej ubłocone i mocniejsze, a tak właśnie powinny wyglądać korzenie drzewa; szare zakończenie jest po prostu za wiotkie, by mogło utrzymać całość. Tak więc ostatecznie wsadzono go do dziury nogami. Kiedy uklepano pozostałą ziemię, sięgała mu ponad kolana.

– Wygląda na okropnie zwiędłe – zauważył osioł.

– Oczywiście, potrzebuje trochę wody – zgodziła się słonica. – Nie chciałabym urazić nikogo z obecnych, ale chyba WOLNO mi powiedzieć, że do TEGO rodzaju czynności taki nos jak mój…

– Stanowczo sprzeciwiam się tego rodzaju uwagom! – warknął buldog. Ale słonica podeszła spokojnie do brzegu rzeki, napełniła trąbę wodą i wróciła, by zająć się wujem Andrzejem.

Mądre zwierzę wylało na niego troskliwie całą zawartość trąby, tak że woda spływała po jego surducie, jakby się wykąpał w ubraniu. Trudno się dziwić, że ten zabieg rzeczywiście go ożywił. Cóż to było za prze-

budzenie! Ale musimy go teraz zostawić w spokoju, by przemyślał swoje niecne uczynki (jeśli w ogóle był w stanie zrobić coś tak rozsądnego), i zająć się o wiele ważniejszymi sprawami.

Truskawek pokłusował z Digorym na grzbiecie w kierunku, w którym odeszła z Aslanem grupa wybrańców. Wkrótce głosy pozostałych zwierząt ucichły i ukazała się mała grupka skupiona wokół Lwa. Digory nie śmiałby chyba przerwać tak poważnej narady, ale nie musiał się nad tym zastanawiać. Na dany przez Aslana znak słoń, kruk i reszta otaczających go stworzeń rozstąpiły się na boki. Digory ześlizgnął się z konia i stanął twarzą w twarz z Aslanem. Z bliska Lew był jeszcze większy, jeszcze wspanialszy, jeszcze bardziej promiennie złocisty i jeszcze groźniejszy, niż mu się przedtem wydawało. Chłopiec nie miał odwagi spojrzeć w te wielkie oczy.

— Panie Lwie... Aslanie... — wyjąkał — czy mógłbyś... czy mógłbym... och, proszę cię, czy możesz mi dać jakiś zaczarowany owoc z tego kraju, który uleczy moją mamę?

Miał rozpaczliwą nadzieję, że Lew odpowie „Tak", a jednocześnie bał się straszliwie, że może powiedzieć „Nie". Ku jego zaskoczeniu Lew powiedział zupełnie co innego.

— To jest ten chłopiec — rzekł, patrząc nie na Digory'ego, lecz na członków swojej rady. — To jest chłopiec, który to zrobił.

„Och, cóż to znaczy? — myślał Digory. — Co ja takiego znowu zrobiłem?"

— Synu Adama — powiedział Lew. — W moim nowym kraju, w Narnii, jest zła Czarownica. Powiedz tym dobrym stworzeniom, w jaki sposób się tu znalazła.

Tuzin różnych odpowiedzi przemknęło Digory'emu przez głowę, lecz miał na szczęście tyle rozsądku, by powiedzieć, jak było naprawdę.

– Ja ją tu sprowadziłem, Aslanie – odpowiedział cicho.

– W jakim celu?

– Chciałem ją przenieść z mojego własnego świata do jej królestwa. Myślałem, że właśnie tam się znajdziemy.

– W jaki sposób znalazła się w twoim świecie, Synu Adama?

– Za pomocą... magii.

Lew milczał i Digory zrozumiał, że nie jest to wystarczająca odpowiedź.

– To przez mojego wuja, Aslanie. To on wysłał nas z naszego świata dzięki magicznym pierścieniom, a w każdym razie ja musiałem się na to zgodzić, bo najpierw wysłał Polę, a potem spotkaliśmy Czarownicę w miejscu zwanym Charn i ona złapała nas, kiedy...

– SPOTKALIŚCIE Czarownicę? – przerwał mu Aslan cichym głosem, w którym czaiła się zapowiedź ryku.

– Ona się obudziła – odpowiedział Digory z rozpaczą w głosie, a potem zrobił się biały jak papier i wyrzucił z siebie: – To znaczy, ja ją obudziłem. Obudziłem ją, bo chciałem zobaczyć, co się stanie, jak uderzę w ten dzwon. Pola tego nie chciała. To nie jej wina. Ja... ja wykręciłem jej rękę. Wiem, że nie powinienem tego robić. Myślę, że byłem trochę zaczarowany tym napisem pod dzwonem.

– Tak? Byłeś zaczarowany? – zapytał Aslan, wciąż bardzo cichym i bardzo głębokim głosem.

— Nie — odrzekł Digory. — Teraz już wiem, że nie. Ja tylko udawałem.

Zapanowała długa cisza, w czasie której Digory powtarzał sobie w duchu: „Wszystko zepsułem. Teraz już nic nie dostanę dla mamy".

Kiedy Lew znowu przemówił, nie zwracał się już do Digory'ego.

— Tak więc widzicie, przyjaciele, że zanim minęło siedem godzin od narodzin tego nowego, czystego świata, siły zła już znalazły do niego drogę, obudzone i przywleczone tu przez tego oto Syna Adama.

Wszystkie zwierzęta, z Truskawkiem włącznie, zwróciły oczy na nieszczęsnego chłopca, który gorąco pragnął zapaść się pod ziemię.

— Ale nie upadajcie na duchu — rzekł Aslan, wciąż zwracając się do zwierząt. — To zło przyniesie zło, ale na razie jest jeszcze daleko, a najgorsze spadnie na mnie, nie na was. Tymczasem zaprowadźmy tu taki ład, by jeszcze przez setki lat był tutaj szczęśliwy, radosny kraj w szczęśliwym, radosnym świecie. I jak rasa Adama spowodowała to zło, tak i rasa Adama pomoże je przezwyciężyć. Podejdźcie bliżej, ty, chłopcze, i wy dwoje.

Ostatnie słowa odnosiły się do Poli i dorożkarza, którzy właśnie przybyli. Pola wpatrywała się w Aslana z otwartymi ustami, mocno ściskając dłoń dorożkarza. Ten spojrzał na Lwa i zdjął swój melonik. Nikt jeszcze nie widział go bez melonika. A wyglądał bez niego młodziej i ładniej, bardziej jak wieśniak niż jak londyński dorożkarz.

– Synu – rzekł Aslan do niego – znam cię od dawna. A ty mnie znasz?

– Chyba nie, panie – odpowiedział dorożkarz. – W każdym razie nie tak, jak to się zwykle rozumie. Ale jeśli już mam być szczery, to jednak coś takiego czuję, jakbyśmy się już kiedyś spotkali.

– To dobrze – rzekł Lew. – Znasz mnie lepiej, niż ci się wydaje, a będziesz żył, by poznać mnie jeszcze lepiej. Jak ci się podoba ten kraj?

– To piękne miejsce, panie.

– Czy chciałbyś tu zostać na zawsze?

– No cóż, panie, jestem człek żonaty... – zaczął dorożkarz i urwał na chwilę, po czym zebrał odwagę i dodał: – Gdyby tu była moja żona, Helenka, żadne z nas nie chciałoby za nic w świecie wracać do Londynu. To pewne jak amen w pacierzu. Oboje jesteśmy ze wsi.

Aslan podniósł swą kudłatą głowę, otworzył usta i wydał z siebie jakiś dźwięk, niezbyt głośny, ale pełen mocy. Serce Poli drgnęło gwałtownie. Była pewna, że jest to wezwanie i że każdy, kto je usłyszy, będzie mu posłuszny, a co więcej – że będzie mógł być posłuszny, choćby nie wiem ile światów i wieków dzieliło go od Aslana. Dlatego nie była bardzo zaskoczona ani wstrząśnięta, kiedy nagle zjawiła się znikąd młoda kobieta o miłej, szczerej twarzy i stanęła obok niej. Nikt nie musiał Poli tłumaczyć, że to żona dorożkarza, przeniesiona tu z naszego świata nie za pomocą jakichś okropnych, magicznych pierścieni – z konieczną przesiadką w Lesie – lecz szybko, lekko i przyjemnie, tak jak ptak siadający na swoim gnieździe. Młoda kobieta musiała akurat robić pranie, bo ubrana była w fartuch, rękawy miała podwinięte do łokci, a obie ręce pokryte mydlaną pianą. Gdyby miała czas, aby przebrać się w swój najlepszy strój (jej najlepszy kapelusz zdobiła cała masa sztucznych czereśni), wyglądałaby okropnie, a tak sprawiała bardzo miłe wrażenie.

Oczywiście była pewna, że śni. Dlatego nie podbiegła od razu do swojego męża i nie zapytała, co się, na miłość boską, z nimi dzieje. Ale kiedy spojrzała na Lwa, nie była już tak bardzo pewna, że to sen; z jakiegoś powodu nie sprawiała jednak wrażenia osoby, która się boi. Dygnęła z wdziękiem, jak to wciąż jeszcze w naszych czasach potrafią robić niektóre wiejskie dziewczęta, a potem podeszła do dorożkarza, wsunęła dłoń do jego dłoni i stała, rozglądając się dokoła z pewnym onieśmieleniem.

— Moje dzieci — rzekł Aslan, wpatrując się w nich oboje — to wy macie być pierwszym królem i pierwszą królową Narnii.

Dorożkarz otworzył usta ze zdumienia, a jego żona poczerwieniała.

— Będziecie rządzić tymi wszystkimi stworzeniami. Będziecie czuwać, by panowała sprawiedliwość. Będziecie je ochraniać przed wrogami. A wrogowie się pojawią, bo w tym świecie jest zła Czarownica.

Dorożkarz przełknął z trudem ślinę dwa lub trzy razy, a potem odchrząknął.

– Racz mi wybaczyć, panie – rzekł. – Dzięki ci stokrotne za ten zaszczyt, w imieniu moim i mojej połowicy, ale nie jestem z tych gości, co pasują do takiej roboty. Prawdę mówiąc, nie mam nawet odpowiedniej szkoły, ot co.

– Szkoły – powtórzył Aslan. – A czy potrafisz posługiwać się łopatą i pługiem? Czy potrafisz uprawiać ziemię?

– O tak, panie, na tym to się trochę znam, w końcu wychowałem się na wsi.

– Czy potrafisz rządzić tymi stworzeniami sprawiedliwie i łagodnie, pamiętając, że nie są niewolnikami, jak nieme istoty w świecie, w którym się urodziłeś, lecz mówiącymi zwierzętami i wolnymi poddanymi?

– Rozumiem, o co ci chodzi, panie. Mógłbym spróbować, a zrobię to rzetelnie.

– Czy tak wychowasz swoje dzieci i wnuki, by czyniły to samo?

– Będę się starał jak najlepiej, panie. No co, popróbujemy, Helenko?

– I czy nie będziesz obdarzał szczególnymi względami jakichś wybrańców spośród swoich dzieci lub spośród innych stworzeń? Czy nie będziesz pozwalał, by inni nadużywali swojej władzy i wykorzystywali słabszych?

– O, co to, to nie, nigdy nie znosiłem czegoś takiego, mówię szczerze. I nikomu na to nie pozwolę, taki już jestem. – (W ciągu całej tej rozmowy jego głos stopniowo się zmieniał: teraz mówił wolniej, a intonację miał bogatszą. Jego wymowa bardziej przypominała łagodny głos wiejskiego chłopaka niż ostrą, szybką mowę woźnicy z przedmieścia).

– A jeśli powstaną przeciw twemu państwu wrogowie i będzie wojna, czy będziesz pierwszy w ataku i ostatni w odwrocie?

– No cóż, panie – odparł dorożkarz – nigdy się tego do końca nie wie, dopóki się nie popróbuje. Nie śmiałbym przysiąc, że nigdy mnie strach nie obleci. Nigdy nie walczyłem, chyba że na pięści. Mógłbym spróbować... to znaczy żywię nadzieję, że chybabym się starał jak najlepiej.

– A więc – rzekł Aslan – uczynisz to wszystko, co do króla należy. Koronacja odbędzie się niebawem. A ty, i twoje dzieci, i twoje wnuki będziecie błogosławieni: niektóre będą królami Narnii, inne królami Archenlandii, która leży tam, za Południowymi Górami. A teraz ty, córeczko – zwrócił się do Poli. – Witaj w Narnii! Czy przebaczyłaś już chłopcu to, co ci zrobił w Sali Posągów, w opuszczonym pałacu przeklętego Charnu?

– Tak, Aslanie, już się pogodziliśmy.

– To dobrze. A teraz zajmiemy się samym chłopcem.

ROZDZIAŁ 12

Przygoda Truskawka

DIGORY STAŁ NIERUCHOMO z mocno zaciśniętymi ustami i z każdą chwilą czuł się coraz gorzej. Miał tylko nadzieję, że bez względu na to, co się stanie, nie rozpłacze się ani się nie ośmieszy.

– Synu Adama – rzekł Aslan. – Czy jesteś gotów naprawić zło, jakie uczyniłeś mojej umiłowanej Narnii w samym dniu jej narodzin?

– Nie bardzo wiem, co mógłbym teraz zrobić – odpowiedział Digory. – Przecież królowa uciekła i...

– Zapytałem, czy jesteś gotowy – przerwał mu Lew.

– Tak – odrzekł Digory. Przez chwilę miał dziki pomysł, aby powiedzieć: „Spróbuję ci pomóc, jeśli obiecasz pomóc mojej mamie", ale w porę zdał sobie sprawę, że Lew z całą pewnością nie należy do osób, z którymi można próbować targów. Ale kiedy powiedział „tak", pomyślał o matce, o tym, że jego wielkie nadzieje rozwiewają się oto jak sen. Poczuł, że coś przeszkadza mu w gardle, a potem łzy stanęły mu w oczach i nagle wyrzucił z siebie:

– Ale... błagam cię... czy nie mógłbyś... czy nie możesz dać mi czegoś, co uzdrowiłoby moją mamę? –

Do tej chwili wpatrywał się w jedną z wielkich przednich łap Lwa, zakończoną potężnymi pazurami; teraz, w rozpaczy, podniósł głowę i spojrzał mu prosto w twarz. To, co zobaczył, zaskoczyło go tak, jak chyba jeszcze nic w całym jego życiu. Bo oto złotobrązowa twarz nachyliła się ku niemu i (dziw nad dziwy) w wielkich oczach pojawiły się błyszczące łzy. Te łzy były tak duże i tak błyszczące, że nie mógł się oprzeć myśli, iż Lew jeszcze bardziej żałuje jego matki niż on sam.

– Mój synu, mój synu – powiedział Aslan. – Wiem. Zawiedzione nadzieje rodzą wielki ból. W tym kraju tylko ty i ja o tym wiemy. Bądźmy dla siebie dobrzy. Ale ja muszę myśleć o całych stuleciach przyszłych dziejów Narnii. Czarownica, którą przeniosłeś do tego świata, kiedyś tu powróci. Ale jeszcze nie teraz. Jest moim życzeniem, by zasadzono w Narnii drzewo, którego ona nie ośmieli się dotknąć. To drzewo będzie ochraniać przed nią Narnię przez wiele, wiele lat. Tak więc ten kraj czeka długi, jasny poranek, zanim chmury ponownie przesłonią słońce. Musisz dostarczyć mi ziarno, z którego wyrośnie to drzewo.

– Tak, panie – odpowiedział Digory. Nie miał pojęcia, w jaki sposób tego dokona, ale wiedział z całą pewnością, że będzie gotów na wszystko. Lew westchnął głęboko, pochylił głowę jeszcze niżej i obdarzył go lwim pocałunkiem. I natychmiast Digory poczuł w sobie nową siłę i odwagę.

– Mój umiłowany synu – rzekł Aslan. – Powiem ci, co masz zrobić. Odwróć się i popatrz na zachód, a potem powiedz, co widzisz.

– Widzę straszliwie wysokie góry, Aslanie. Widzę rzekę, która spada białą kaskadą z krawędzi jakiegoś płaskowyżu. A za tym płaskowyżem są wysokie, zielone wzgórza porośnięte puszczą. Za nimi są jeszcze wyższe grzbiety, prawie czarne. A jeszcze dalej, bardzo, bardzo daleko, są ośnieżone szczyty gór, jak na pocztówce z Alp. A za nimi nie ma już nic prócz nieba.

– Masz dobry wzrok – powiedział Aslan. – Wiedz zatem, że granice Narnii sięgają do owego wodospadu. Kiedy wejdziesz na krawędź płaskowyżu, znajdziesz się już na Zachodnim Pustkowiu. Musisz przejść przez góry, aż znajdziesz zieloną dolinę z granatowym jeziorem pośrodku, otoczoną ze wszystkich stron szczytami pokrytymi lodem. Nad brzegiem tego jeziora jest strome, zielone wzgórze. Na szczycie wzgórza jest ogród. A w samym środku ogrodu rośnie drzewo. Przynieś mi jabłko z tego drzewa.

– Tak, panie – odrzekł znowu Digory. Zupełnie nie wiedział, jak wspiąć się na krawędź płaskowyżu i jak znaleźć drogę do jeziora przez te wszystkie puszcze i góry, ale nie chciał tego powiedzieć na głos w obawie, że zabrzmi to jak wymówka. Powiedział tylko: – Mam nadzieję, Aslanie, że ci się tak bardzo nie spieszy. Chyba nie zdołam dotrzeć tam i wrócić bardzo szybko.

– Mały Synu Adama, będziesz miał pomocnika. – Po tych słowach Aslan odwrócił się do konia, który stał spokojnie w pobliżu, machając co jakiś czas ogonem, żeby odpędzić muchy, i przysłuchiwał się rozmowie z lekko przechylonym łbem, jakby to, co usłyszał, nie było zbyt zrozumiałe.

— Mój kochany — rzekł Aslan — czy nie chciałbyś być skrzydlatym koniem?

Warto było zobaczyć, jak koń wstrząsnął grzywą, jak rozchyliły mu się chrapy i jak tupnął kopytem w ziemię. Bez wątpienia bardzo chciał mieć skrzydła. Ale powiedział tylko:

— Jeżeli chcesz, Aslanie... jeżeli naprawdę uważasz... nie wiem, dlaczego akurat ja... nie jestem zbyt mądrym koniem...

— Bądź uskrzydlony! Bądź ojcem wszystkich latających koni! — ryknął Aslan głosem, od którego zatrzęsła się ziemia. — Odtąd będziesz się nazywał Pegazem!

Koń otrząsnął się, tak jak mógłby się otrząsnąć za dawnych, smutnych dni, kiedy ciągnął dorożkę. Potem stanął dęba. Wygiął łeb do tyłu, jakby chciał dosięgnąć zębami muchy, która go ugryzła w kark. A potem, zupełnie tak samo jak z ziemi wyrastały zwierzęta, u nasady jego długiej szyi wystrzeliły i rozwinęły się skrzydła, większe niż skrzydła orła, większe niż skrzydła łabędzia, większe zaiste niż skrzydła anioła z kościelnego witrażu. Pióra zalśniły barwą miedzi i kasztanów. Machnął nimi parę razy i nagle wzniósł się w powietrze na jakieś pięć metrów, parskając i wykonując szaleńcze skręty i podskoki. Potem zrobił duże koło nad głowami dzieci i opadł zgrabnie na ziemię wszystkimi czterema kopytami naraz, nieco zaskoczony, zakłopotany, ale i bardzo zadowolony.

— Jak ci się to podoba, Pegazie? — zapytał Aslan.

— To wspaniałe, Aslanie — odrzekł Pegaz.

— Czy polecisz z tym małym Synem Adama do górskiej doliny, o której mówiłem?

— Co?! Teraz? Tak od razu? — zawołał Truskawek (a raczej Pegaz, jak go odtąd musimy nazywać). — Hurra! Chodź tutaj, mój mały. Miałem już takich jak ty na grzbiecie. Dawno, dawno temu, tam, gdzie były zielone łąki... I cukier...

— O czym tak szepczą dwie Córki Ewy? — zapytał Aslan, odwracając się raptownie ku Poli i żonie dorożkarza, które właśnie się ze sobą zaprzyjaźniły.

— Niech mi wolno będzie coś powiedzieć, panie — rzekła królowa Helena (bo tak powinniśmy teraz nazywać żonę dorożkarza). — Myślę, że dziewczynka bardzo by chciała polecieć razem z chłopcem, jeśli to nie sprawi zbyt wiele kłopotu.

— Co na to powiesz, Pegazie? — zapytał Aslan.

— Och, nie mam nic przeciwko drugiemu małemu dwunogowi na moim grzbiecie. Ale mam nadzieję, że słoń nie zamierza z nami lecieć?

Słoń nie wyrażał takiego życzenia i nowy król Narnii pomógł dzieciom wspiąć się na grzbiet Pegaza, to znaczy podrzucił szorstko Digory'ego, a Polę posadził tak delikatnie i zgrabnie, jakby była z porcelany i mogła się potłuc.

— No, już siedzą, Truskawku, znaczy się, Pegazie. Ale to będzie kurs!

— Nie wznoś się zbyt wysoko — rzekł Aslan. — Nie próbuj przelatywać nad szczytami wysokich, pokrytych lodem gór. Wypatruj dolin, zielonych miejsc i leć nad nimi. Zawsze znajdziesz jakieś przejście. A teraz — w drogę, z moim błogosławieństwem!

— Och, Pegazie! — powiedział Digory, wychylając się do przodu, by poklepać lśniącą szyję konia. — Jest cudownie. Trzymaj się mnie mocno, Polu.

W następnej chwili łąka uciekła chyżo spod ich stóp i zawirowała, gdy Pegaz, jak olbrzymi gołąb, zatoczył dwa koła, zanim skierował się na zachód. Kiedy Pola spojrzała w dół, nie mogła już dostrzec króla i królowej, a nawet sam Aslan był tylko jasną plamką na zielonej płaszczyźnie. Wiatr wionął im w twarze, a skrzydła Pegaza zaczęły bić miarowo powietrze, nie wznosząc się już ponad jego grzbiet.

Pod nimi rozciągała się różnobarwna Narnia: łąki i skały, wrzosy i różne rodzaje drzew, a wśród nich rzeka jak wstęga z żywego srebra. Teraz zobaczyli, co jest za wzgórzami po prawej stronie, na północy: rozległa

torfowa wyżyna podnosząca się łagodnie aż do widnokręgu. Po lewej stronie były wysokie góry, ale tu i tam, między stromymi, porośniętymi sosną zboczami, mogli spostrzec dalekie, południowe krainy, leżące poza nimi.

– To tam musi być ta Archenlandia – powiedziała Pola.

– Tak, ale spójrz przed siebie! – zawołał Digory.

Przed nimi wyrósł nagle skalisty próg i oślepił ich blask słońca odbijającego się w potężnym wodospadzie, którym spieniona, rycząca rzeka wlewała się do Narnii z zachodniej wyżyny, gdzie miała swe źródło. Lecieli teraz tak wysoko, że grzmot wodospadu dobiegał tu jak słaby szum, jednakże szczyt skalnego uskoku był jeszcze wyżej, ponad nimi.

– Będziemy musieli trochę POZYGZAKOWAĆ – powiedział Pegaz. – Trzymajcie się mocno.

Wkrótce zrozumieli, co znaczy to dziwne słowo. Pegaz zaczął wykonywać szybkie zwroty, za każdym razem wznosząc się nieco wyżej. Powietrze zrobiło się zimniejsze. Pod sobą usłyszeli krzyki orłów.

– Ojej! Popatrz! Popatrz do tyłu! – zawołała Pola.

Bo oto za nimi rozciągała się teraz cała dolina Narnii, aż do wschodniego horyzontu, gdzie połyskiwało morze. Byli tak wysoko, że na północy ujrzeli poszarpane szczyty skalistych gór poza torfową wyżyną, a na południu jasną plamę czegoś, co wyglądało jak pustynia.

– Chciałbym, żeby tu był ktoś, kto by nam powiedział, co to za kraje, góry i rzeki – powiedział Digory.

– Ale co by nam mógł powiedzieć? Pomyśl, Digory, przecież tam jeszcze nikogo nie ma i nic się jeszcze nie wydarzyło. Przecież ten świat dopiero dziś się narodził.

– No tak, ale te krainy na pewno zostaną zaludnione. I wtedy zaczną się ich dzieje i będzie co opowiadać.

– Ale na razie nic, ale to nic nie ma do opowiadania. I bardzo się z tego cieszę. Nikt nie musi się niczego uczyć. Żadnych bitew, dat i tych wszystkich innych okropieństw.

Przelatywali już nad krawędzią skalnego urwiska, a wkrótce, kiedy się obejrzeli do tyłu, nie zobaczyli rozległej doliny Narnii. Pod nimi był dziki kraj stromych wzgórz i ciemnych lasów przecięty krętą wstęgą rzeki. Przed nimi majaczyły białe, wyniosłe szczyty gór. Ale teraz słońce świeciło im prosto w oczy i nie widzieli już wszystkiego tak wyraźnie. Zachodnie niebo oblało się złotem, słońce zniżyło się, aż w końcu skryło za wielkim, czarnym szczytem o poszarpanych krawędziach, rysującym się ostro na tle złotej jasności, jakby był wcięty z kartonu.

– Wcale nie jest za ciepło – zauważyła Pola.

– I skrzydła zaczynają mnie boleć – powiedział Pegaz. – Nie widać ani śladu tej doliny z jeziorem, o której mówił Aslan. A może by tak zniżyć się i poszukać jakiegoś przyzwoitego miejsca na nocleg? Kiedy się zrobi ciemno, trudno będzie coś znaleźć.

– Tak, i chyba już czas na kolację – zgodził się Digory.

Między zalesionymi wzgórzami było o wiele cieplej. Po tylu godzinach lotu w ciszy, przerywanej jedynie miarowym poszumem skrzydeł Pegaza, z przyjemnością słuchali swojskich, ziemskich odgłosów: plusku rzeki w jej kamiennym korycie i skrzypienia drzew w lekkim wietrze. Poczuli ciepły, dobry zapach nagrzanej od słońca ziemi, trawy i dzikich kwiatów. W końcu Pegaz wylądował. Digory ześliznął się na ziemię i pomógł zejść Poli. Oboje z przyjemnością prostowali nieco zdrętwiałe nogi.

Stroma dolinka, w której wylądowali, leżała wśród gór. Dookoła wznosiły się pokryte śniegiem szczyty; jeden był zaróżowiony od wieczornej zorzy.

– Ale jestem głodny – powiedział Digory.

– No to wsuwaj – rzekł Pegaz i zebrał zębami sporą porcję trawy. Potem podniósł łeb, żując smakowicie źdźbła, których końce wystawały mu z obu stron pyska jak wąsy, i dodał: – No, dalej, dwunogi. Nie krępujcie się. Jest tu tego dużo.

– Ale my nie jadamy trawy – powiedział Digory.

– Hm-hm-hm – Pegaz z lubością żuł trawę. – No, cóż, hm-hm, w takim razie nie mam pojęcia, co możecie zrobić. Ale to naprawdę wspaniała trawa.

Pola i Digory popatrzyli na siebie z niemiłym zaskoczeniem.

– Ktoś chyba powinien pomyśleć o jedzeniu dla nas – rzekł Digory po chwili milczenia.

– Jestem pewien, że Aslan by to zrobił, gdyby go ktoś poprosił – zauważył Pegaz.

– Czyżby sam o tym nie wiedział? – zapytała Pola.

– Nie wątpię, że wiedział – rzekł koń, wciąż z pełnym pyskiem. – Ale tak mi się coś widzi, że on lubi, jak go się prosi o to, czego potrzebujemy.

– No i co teraz zrobimy? – zapytał Digory z rozpaczą.

– Tego to ja naprawdę nie wiem – odparł Pegaz. – Chyba że spróbujecie trawy. Może się okazać, że jest lepsza, niż się wam wydaje.

– Och, nie bądź głupi! – zdenerwowała się Pola, tupiąc nogą. – Przecież każdy wie, że ludzie nie jedzą trawy, tak jak konie nie jedzą baranich kotletów.

– Na miłość boską, Polu, czy musisz wspominać o kotletach? – przerwał jej Digory. – To tylko pogarsza sytuację.

Potem Digory zaproponował, żeby Pola przeniosła się na chwilę do domu za pomocą magicznego pierścienia i zabrała stamtąd coś do jedzenia. Sam nie mógł tego zrobić, bo przecież przyrzekł Aslanowi zmierzać najprostszą drogą do zaczarowanego drzewa i przynieść z niego owoc. Obawiał się też, że gdyby się pokazał w domu, coś nieoczekiwanego mogłoby mu przeszkodzić w powrocie. Ale Pola oświadczyła, że nie zamierza go tu samego zostawiać, a Digory powiedział, że to bardzo przyzwoicie z jej strony.

– Ach, coś mi się przypomniało! – odezwała się nagle Pola po dłuższym milczeniu. – Mam wciąż w kieszeni torebkę z resztką toffi. W każdym razie to lepsze niż nic.

– O wiele lepsze – ożywił się Digory. – Tylko ostrożnie, żebyś przypadkiem nie dotknęła swojego pierścienia.

Nie było to łatwe zadanie, ale w końcu udało się jej wyjąć delikatnie torebkę, brudną, pozlepianą i sztywną, tak że kolejny problem polegał nie tyle na tym, jak wyjąć z niej cukierki, tylko jak poodlepiać z nich torebkę. Niektórzy dorośli (sami wiecie, jak potrafią grymasić w takich wypadkach) woleliby raczej pójść spać bez kolacji, niż zjeść te cukierki. Było ich w sumie dziewięć.

Digory wpadł na pomysł, by zjeść po cztery, a dziewiąty zasadzić, bo, jak powiedział, „jeśli z pręta wyrosło latarniane drzewko, to dlaczego z cukierka nie mogłoby wyrosnąć drzewko toffi?" Wydłubali więc małą dziurkę w torfiastej ziemi i włożyli do niej cukierek. Potem zjedli pozostałe, starając się żuć je jak najdłużej. Trudno było się tym najeść, nawet jeśli się uwzględni wszystkie resztki papieru, których nie zdołali zdrapać.

Wreszcie Pegaz skończył swoją smakowitą kolację i położył się w trawie, a dzieci przytuliły się do jego ciepłych boków. Kiedy przykrył każde jednym skrzydłem, zrobiło się bardzo przytulnie. Na niebie pojawiły się jasne, młode gwiazdy tego nowego świata. Nadszedł czas, aby spokojnie wszystko omówić: jak to Digory miał nadzieję dostać jakiś lek dla swojej matki i jak zamiast tego został wysłany w drogę po zaczarowane jabłko. Powtarzali sobie wszystkie znaki, po jakich mieli poznać miejsce, którego szukali: granatowe jezioro i wzgórze z ogrodem na szczycie. Rozmowa zaczęła właśnie wygasać i poczuli senność, gdy nagle Pola usiadła, całkowicie rozbudzona, i szepnęła:

– Ciiicho! Słyszycie?

Nasłuchiwali przez chwilę z bijącym sercem.

– Może to tylko wiatr w drzewach – odezwał się Digory.

– Nie jestem tego taki pewien – powiedział Pegaz. – W każdym razie... Ciiicho! Znowu coś słychać. Na Aslana, tam coś JEST!

Podniósł się na nogi z okropnym hałasem i zaczął biegać truchtem wokoło, węsząc i parskając. Dzieci też zbadały najbliższą okolicę, idąc na palcach i zaglądając z duszą na ramieniu za każde drzewo i krzak. Kilka razy wydawało im się, że coś się porusza, a raz Pola była zupełnie pewna, że zobaczyła wysoką, ciemną postać przesuwającą się bezszelestnie w kierunku zachodnim. Ale nie spotkały nikogo i w końcu Pegaz położył się znowu w trawie, przykrywając dzieci swoimi skrzydłami. Tym razem usnęły bardzo szybko. Koń czuwał jeszcze jakiś czas, strzygąc uszami i marszcząc gwałtownie skórę, jakby chciał opędzić się od much, ale w końcu i on zasnął.

ROZDZIAŁ 13

Nieoczekiwane spotkanie

Obudź się, Digory! Obudź się, Pegazie! – zabrzmiał głos Poli. – Zobaczcie, rzeczywiście wyrosło z tego drzewko toffi! I mamy cudowny poranek.

Niskie, wczesne słońce przedzierało się smugami przez drzewa, trawa poszarzała od rosy, a pajęczyny lśniły srebrem. Nieopodal rosło niewielkie drzewko rozmiarów młodej jabłonki, z ciemnym pniem i białawymi, sztywnymi liśćmi, przypominającymi ziele nazywane miesięcznicą. I całe obsypane było małymi brązowymi owocami bardzo podobnymi do daktyli.

– Hurra! – zawołał Digory. – Ale najpierw muszę się wykąpać.

I pobiegł ku rzece, przeskakując po drodze przez kwitnące krzaki. Czy kąpaliście się kiedy w górskiej rzece pieniącej się wesoło w słońcu i rwącej bystro korytem wykładanym czerwonymi, błękitnymi i żółtymi kamieniami? To równie dobre jak kąpiel w morzu, a pod pewnymi względami nawet lepsze. Oczywiście Digory musiał się po kąpieli ubrać bez wycierania, ale warto było. Kiedy wrócił, poszła nad rzekę Pola, mówiąc, że też się chce wykąpać, ale, jak wiadomo, nie umiała dobrze pływać, nie będziemy więc dociekać, czy zrobiła to naprawdę. Pegaz również wszedł do wody, ale tylko po to, aby stanąć w głównym nurcie i napić się do syta, wstrząsając od czasu do czasu grzywą i rżąc radośnie.

Dzieci zabrały się do śniadania. Owoce z drzewa toffi okazały się wyśmienite; nie były to zresztą dosłownie cukierki, lecz miękkie i soczyste owoce przypominające w smaku toffi. Pegaz też zjadł śniadanie i nawet spróbował jeden z owoców, ale chociaż mu smakował, stwierdził, że o tej porze woli raczej trawę. Potem nie bez pewnych trudności dzieci wdrapały się na jego grzbiet i zaczął się drugi dzień wędrówki.

Czuli się jeszcze lepiej niż poprzedniego dnia, bo każdy był odświeżony i słońce mieli teraz za sobą, a wiadomo, iż wszystko wygląda o wiele przyjemniej, kiedy słońce pada zza pleców. Była to cudowna podróż. Ze wszystkich stron otaczały ich wysokie, ośnieżone szczyty. Doliny, nad którymi przelatywali, były tak zielone, a strumienie spadające z lodowców do rzeki tak niebieskie, że lecieli jakby nad gigantycznymi klejnotami. Cała trójka nie miałaby nic przeciwko temu, by ta część wyprawy trwała o wiele dłużej. Lecz bardzo szybko wszyscy zaczęli głośno węszyć i zadawać sobie pytania: „Co to jest?" i „Czy to czujecie?", i „Skąd to się bierze?", bo oto w nozdrza uderzył ich niebiański zapach, ciepły i złoty, jakby gdzieś pod nimi rosły najwspanialsze kwiaty i owoce świata.

— To tak pachnie z tamtej doliny z jeziorem — powiedział Pegaz.

— Tak, to stamtąd — zgodził się Digory. — I patrzcie! Na końcu jeziora jest zielone wzgórze. I jak niebie-
ska jest woda!

— To musi być to MIEJSCE — stwierdziła Pola.

Pegaz zniżał lot, zataczając szerokie koła. Oblodzo-
ne granie wyrastały coraz wyżej i wyżej nad ich głowami. Z każdą chwilą powietrze robiło się coraz cieplejsze
i gęstsze od zapachu tak słodkiego, że łzy stanęły im
w oczach. Pegaz szybował teraz z szeroko rozpostartymi, nieruchomymi skrzydłami, przebierając kopytami
w oczekiwaniu na zetknięcie z ziemią. W chwilę później wylądował dość gwałtownie na stromym zboczu
zielonego wzgórza. Dzieci stoczyły się z jego grzbietu

w nagrzaną od słońca, bujną trawę, a po chwili już stały, lekko zadyszane, rozglądając się ciekawie dookoła. Wylądowali na jakiejś jednej trzeciej wysokości wzgórza, mierząc od podnóża. Szczyt otoczony był murem zbudowanym z zielonej darni. Wewnątrz rosły drzewa, których gałęzie zwieszały się nad murem; kiedy powiał wiatr, okazało się, że prócz zielonych liści są tam również liście niebieskie i srebrne. Zaczęli się wspinać pod górę. (Koń pewno nie dałby temu rady, gdyby nie skrzydła, dzięki którym utrzymywał równowagę, a nawet podfruwywał lekko od czasu do czasu). Kiedy dotarli do zielonego muru, musieli obejść sporą jego część, zanim znaleźli bramę: złote wrota, zamknięte, skierowane dokładnie na wschód.

Aż do tej chwili Pegaz i Pola sądzili, że będą towarzyszyli Digory'emu do końca. Teraz przestali tak myśleć. Nigdy jeszcze nie zdarzyło się im widzieć miejsca, które by miało tak OSOBISTY wygląd. Wystarczyło spojrzeć, by wiedzieć, że to miejsce do kogoś należy. Tylko głupiec mógł marzyć o wejściu do środka, nie będąc wysłanym w bardzo specjalnej misji. W każdym razie Digory zrozumiał od razu, że jego towarzysze po prostu nie mogą wejść razem z nim. Podszedł więc sam do bramy.

Kiedy był już blisko, na złotych wrotach zobaczył rzędy srebrnych liter układających się w mniej więcej takie słowa:

Wejdź przez złote wrota albo nie wchodź wcale,
Weź mój owoc dla innych albo nie bierz wcale.

Bo ci, co kradną dla siebie lub przez mur mój skaczą,
Znajdą to, czego pragną, lecz razem z rozpaczą.

– „Weź mój owoc dla innych" – powtórzył na głos
Digory. – No, ja właśnie zamierzam to zrobić. To chyba oznacza, że nie wolno mi zjeść ani jednego samemu. Ale reszta, a zwłaszcza ta ostatnia linijka, to jakaś chińszczyzna, nic z tego nie rozumiem. „Wejdź przez złote wrota". A komu by się chciało przełazić przez mur, skoro można przejść przez bramę?

Dotknął wrót ręką i nagle, bez najmniejszego dźwięku, otworzyły się same do wewnątrz. Wszedł ostrożnie, rozglądając się wokoło. Panował tu niczym niezmącony spokój. Pośrodku ogrodu tryskała fontanna, lecz dopiero po chwili Digory usłyszał cichutki, delikatny plusk opadającej wody. Powietrze przesycał cudowny zapach. Było to szczęśliwe, lecz równocześnie bardzo uroczyste miejsce.

Bez trudu rozpoznał zaczarowane drzewo: rosło w samym środku ogrodu, obsypane wielkimi srebrzystymi jabłkami. Jabłka promieniowały swoim własnym światłem, które spływało tam, gdzie nie mogły dotrzeć promienie słońca. Podszedł do drzewa, zerwał jedno jabłko, lecz nie mógł się powstrzymać, by go nie obejrzeć i nie powąchać przed schowaniem do kieszeni.

Byłoby lepiej, gdyby tego nie zrobił. Natychmiast poczuł straszliwe pragnienie, głód i przemożną chęć skosztowania owocu. Szybko włożył go do kieszeni, ale tuż nad głową wisiało tyle innych! Czy skosztowanie jednego jabłka byłoby naprawdę czymś złym? Ostatecznie, myślał Digory, napis na bramie wcale nie musiał być nakazem, ale tylko pewną radą – a kto by się przejmował radami? A nawet gdyby to był nakaz, to wcale nie powiedziano w nim wyraźnie, że nie wolno spróbować jednego jabłka. Przecież spełnił już to, czego żądała pierwsza część napisu: wszedł przez złote wrota i wziął owoc „dla innych".

Kiedy się nad tym zastanawiał, spojrzał przypadkowo w górę, poprzez gałęzie prześwietlone blaskiem bijącym od jabłek. I nagle dostrzegł tam cudownego ptaka siedzącego na jednej z gałęzi jak na grzędzie. Mówię „jak na grzędzie", bo pióra miał nastroszone i na pierwszy rzut oka wydawał się pogrążony w drzemce. Dopiero po chwili Digory spostrzegł, że jedną powiekę ptak miał lekko uchyloną. Był to wspaniały ptak, większy od orła, z żółtą piersią, szkarłatnym czubem i długim, purpurowym ogonem.

– A to dowodzi – mówił później Digory, kiedy opowiadał o swojej przygodzie innym – że w takich zaczarowanych miejscach nigdy nie można przesadzać z ostrożnością. Nigdy się nie wie, czy ktoś nas nie obserwuje. – Myślę jednak, że Digory i tak nie zerwałby jabłka dla siebie. Takie zasady, jak „Nie kradnij", były w tamtych czasach wbijane chłopcom do głowy o wiele mocniej i skuteczniej niż dzisiaj. Chociaż – nigdy nie można mieć pewności do końca…

Digory odwrócił się, by pójść z powrotem do bramy, lecz przed odejściem rozejrzał się wokoło po raz ostatni.

I nagle przeżył straszliwy wstrząs. Nie był sam. Zaledwie o kilka metrów od niego stała Czarownica. Gdy na nią spojrzał, odrzuciła ogryzek jabłka, które dopiero co zjadła. Sok owocu, o wiele ciemniejszy, niż się Digory spodziewał, pozostawił złowrogie, krwawe ślady wokół jej ust. Digory poczuł od razu, że Czarownica nie dostała się do ogrodu przez bramę, tylko przez mur. Zaczął też dostrzegać pewien sens w ostatniej linijce napisu na wrotach, mówiącej, że zaspokojenie żądzy zjedzenia zaczarowanego jabłka wiąże się w jakiś sposób z rozpaczą. Z Czarownicy promieniowała bowiem jeszcze większa niż dotąd siła i duma, a nawet pewien triumf, lecz twarz miała upiornie bladą.

Wszystko to przemknęło mu przez głowę w ciągu sekundy, a potem odwrócił się i pobiegł ile sił w nogach ku bramie. Czarownica rzuciła się za nim w pościg. Gdy tylko przebiegł przez bramę, jej skrzydła same się za nim zamknęły. Dało mu to pewną przewagę, ale nie na długo. Właśnie dobiegł do czekających na niego przyjaciół, wołając: „Szybko! Uciekajcie! Pola, wskakuj! Szybko!", gdy Czarownica pojawiła się na szczycie muru, zeskoczyła z niego bez trudu i pędziła ku nim długimi susami.

— Stój! — zawołał Digory odwracając się ku niej. — Jeżeli nie zatrzymasz się tam, gdzie jesteś, wszyscy za chwilę znikniemy. Spróbuj się zbliżyć choćby o centymetr!

— Och, głuptasku — powiedziała Czarownica. — Dlaczego ode mnie uciekasz? Nie zamierzam wyrządzić ci krzywdy. Zatrzymaj się i posłuchaj tego, co ci chcę powiedzieć, bo inaczej nie dowiesz się czegoś, co może cię uczynić szczęśliwym na zawsze.

– Wcale mi na tym nie zależy – odpowiedział Digory, ale zatrzymał się i słuchał.

– Wiem, po co tu przybyłeś – ciągnęła Czarownica. – To ja byłam blisko was w lesie zeszłej nocy i słyszałam waszą naradę. Zerwałeś już jabłko, po które cię wysłano. Masz je w kieszeni. A ty, mały głuptasie, zamierzasz zanieść je Lwu, nawet go przedtem nie spróbowawszy. To ON je zje, to ON będzie miał z tego korzyść. Ty naiwny prostaku! Czy w ogóle wiesz, co to za owoc? Powiem ci, co to jest. To jabłko młodości, jabłko życia. Wiem o tym, ponieważ sama jedno zjadłam i już czuję, że nigdy się nie zestarzeję i nigdy nie umrę. Czuję to, czuję, jak wszystko się we mnie zmienia. Zjedz je, chłopcze, zjedz to cudowne jabłko, a i ty będziesz żył wiecznie. Będziemy razem królować nad całym tym światem – albo nad twoim światem, jeśli zechcemy tam powrócić.

– Dziękuję, ale nie skorzystam – odpowiedział Digory. – Wcale nie jestem pewien, czy chciałbym żyć i żyć bez końca. Wszyscy, których znam, umrą, a ja miałbym żyć sam? To bez sensu. Wolę przeżyć tyle co inni, umrzeć i pójść do nieba.

– A czy pomyślałeś o swojej matce, którą niby kochasz?

– A co ona ma z tym wspólnego?

– Czy nie rozumiesz, głupcze, że jeden kęs tego jabłka wystarczy, by ją uzdrowić? Masz je teraz w kieszeni. Jesteśmy tu sami, a Lew jest daleko. Po prostu dotknij pierścienia i wróć do swojego świata. Za minutę będziesz stał przy łóżku matki, podając jej zaczarowany owoc. Za pięć minut ujrzysz, jak rumieńce powracają na jej bladą twarz. Powie, że ból ustąpił. Potem powie ci, że czuje się o wiele lepiej. A potem zaśnie. Pomyśl, całe godziny zdrowego, normalnego snu bez leków. A jutro wszyscy będą podziwiali cud jej ozdrowienia. Wkrótce będzie zupełnie zdrowa i silna. Wszystko będzie tak jak kiedyś. W twoim domu znowu zagości szczęście. Nie będziesz już smutny, nie będziesz zazdrościł innym chłopcom.

– Och! – jęknął Digory, jakby go coś ugodziło, i złapał się za głowę. Bo teraz zrozumiał, że stoi przed straszliwym wyborem.

– A cóż takiego zrobił dla ciebie ten Lew, że chcesz być jego niewolnikiem? – zapytała Czarownica. – I co może ci zrobić, gdy znajdziesz się z powrotem w swoim świecie? Co by pomyślała twoja matka, gdyby się dowiedziała, że MOGŁEŚ uśmierzyć jej ból, przywrócić jej normalne życie i nie dopuścić, by pękło serce twojemu ojcu, a ty... ty NIE ZROBIŁEŚ tego, woląc spełniać polecenia jakiejś dzikiej bestii w dziwnym obcym świecie, z którym nie masz nic wspólnego?

– Ja... ja wcale nie uważam, że on jest dziką bestią. – Digory mówił z trudem, bo w ustach zupełnie mu zaschło. – On jest... no, nie wiem... ale...

– A więc jest czymś jeszcze gorszym od dzikiej bestii – powiedziała Czarownica. – Czy nie widzisz, co już z tobą zrobił? Czy nie zdajesz sobie sprawy, że uczynił z ciebie istotę bez serca? Tak, to jego wypróbowana metoda, zawsze tak zmienia tych, którzy są mu posłuszni. Okrutny, bezlitosny chłopcze! Wolisz skazać swoją matkę na śmierć niż...

— Och, przestań już! — jęknął nieszczęsny Digory. — Czy myślisz, że sam tego nie widzę? Ale... ale przecież przyrzekłem...

— Tak, ale nie wiedziałeś, co przyrzekasz. I nikt cię nie uprzedził.

— Mamie by się to nie podobało — powiedział Digory, z trudem dobierając słowa — bardzo dbała o dotrzymywanie obietnic... i żeby nie kraść... i w ogóle. ONA sama by mi powiedziała, żebym tego nie robił... na pewno, bez namysłu... gdyby tu była...

— Wcale nie musi się o tym dowiedzieć — powiedziała Czarownica głosem tak słodkim, że trudno było wprost uwierzyć, jak może mówić tak ktoś o jej twarzy. — Nie powiesz jej, w jaki sposób zdobyłeś to jabłko. Twój ojciec też nie musi o tym wiedzieć. Nikt w twoim świecie nie dowie się o całej tej historii. Nie musisz też zabierać ze sobą z powrotem tej dziewczynki. Rozumiesz mnie?

I tutaj Czarownica popełniła okropny błąd. Digory wiedział, rzecz jasna, że Pola może się łatwo wydostać z tego świata bez jego pomocy. A Czarownica najwyraźniej nie wiedziała. Nikczemność jej rady, by zostawił swoją przyjaciółkę, sprawiła, że nagle wszystko, co Czarownica powiedziała, wydało mu się nieszczere i podstępne. I mimo że sam był jeszcze rozdarty wewnętrznie, odzyskał jasność myśli i powiedział (zmienionym, o wiele mocniejszym głosem):

– A czy TY możesz mi powiedzieć, skąd ci to wszystko przyszło do głowy? Dlaczego TY nagle tak troszczysz się o MOJĄ matkę? Co to ma wspólnego z TOBĄ? A tak naprawdę, to o co ci chodzi?

– Brawo, Digory! – usłyszał tuż przy uchu szept Poli. – Szybko! Teraz zwiewajmy stąd! – Rozumiecie chyba, że Pola nie śmiała odezwać się wcześniej, bo w końcu to nie JEJ matka była śmiertelnie chora.

– Lećmy! – zawołał Digory, podsadzając Polę na grzbiet Pegaza i sam wdrapując się tak szybko, jak potrafił. Koń rozwinął już skrzydła.

– A więc lećcie, głupcy! – usłyszeli za sobą głos Czarownicy. – Pomyśl o mnie, chłopcze, gdy będziesz leżał stary, słaby i umierający. Przypomnisz sobie wówczas, jak odrzuciłeś niekończącą się młodość. Taka szansa nie spotka cię po raz drugi.

Ale byli już wysoko i jej słowa przestały Digory'emu zagrażać. Czarownica również nie traciła czasu, by patrzyć, jak znikają w oddali, lecz zaczęła schodzić ze wzgórza, kierując się na północ.

Tego ranka rozpoczęli wędrówkę wcześnie, a to, co się stało w zaczarowanym ogrodzie, nie trwało długo, więc Pegaz i Pola przypuszczali, że zdążą wrócić do Narnii przed zmrokiem. Digory milczał przez całą drogę, a pozostała dwójka nie śmiała się do niego odzywać. Był bardzo przygnębiony i co jakiś czas tracił pewność, czy postąpił dobrze; miał ją tylko wtedy, gdy przypominał sobie łzy lśniące w oczach Aslana.

Skrzydła Pegaza poruszały się miarowo i niestrudzenie przez cały dzień. Lecieli na wschód, z rzeką jako przewodniczką, ponad górami i dzikimi, porośniętymi lasem wzgórzami ku puszczom Narnii, czerniejącym w cieniu potężnego urwiska, aż w końcu, gdy niebo poza nimi zapłonęło czerwienią, zobaczyli polanę nad rzeką, a na niej tłum oczekujących na nich mieszkańców Narnii. Pegaz zatoczył koło, poszybował miękko w dół z wyciągniętymi nogami, złożył skrzydła i wylądował na trawie niemal w pełnym biegu. Potem zatrzymał się, a dzieci zeskoczyły z jego grzbietu. Zwierzęta, karły, satyry, nimfy i inne istoty rozstąpiły się na prawo i lewo, otwierając drogę do Aslana. Digory podszedł do niego, podał mu jabłko i powiedział:

— Przyniosłem owoc, który pragnąłeś mieć, panie.

ROZDZIAŁ 14

Zasadzenie drzewa

DOBRZE SIĘ SPISAŁEŚ – rzekł Aslan głosem, od którego zadrżała ziemia. Później Digory zrozumiał, że te słowa usłyszeli wszyscy Narnijczycy i że w tym nowym świecie opowieść o jego wyprawie będzie przekazywana z ojca na syna przez setki lat, a może nawet przez wieczność. Ale teraz nie groziła mu zarozumiałość, bo kiedy stał twarzą w twarz z Aslanem, wcale o tym nie myślał. Tym razem stwierdził, że może patrzyć Lwu prosto w oczy. Zapomniał o swoich kłopotach, a jego serce wypełniał spokój.

– Dobrze się spisałeś, Synu Adama – powtórzył Lew. – Aby przynieść nam ten owoc, przezwyciężyłeś głód, pragnienie i rozpacz. Dlatego też twoja ręka jest najbardziej godna, by zasiać ziarno drzewa, które ma wyrosnąć dla ochrony Narnii przed złem. Rzuć to jabłko w stronę brzegu rzeki, tam gdzie ziemia jest miękka.

Digory uczynił to. Było tak cicho, że wszyscy usłyszeli miękkie pacnięcie jabłka spadającego w przybrzeżny muł.

– Dobry rzut – powiedział Aslan. – A teraz przystąpimy do koronacji pierwszych władców Narnii: króla Franka i królowej Heleny.

Dopiero w tej chwili dzieci dostrzegły dorożkarza i jego żonę. Mieli na sobie nowe, piękne stroje, a z ich ramion spływały wspaniałe płaszcze. Tren króla trzymały cztery karły, a tren królowej cztery rzeczne nimfy. Oboje mieli obnażone głowy. Królowa rozplotła włosy i pozwoliła im swobodnie opadać na ramiona; wyglądała teraz o wiele ładniej. Prawdę mówiąc, trudno było ich poznać, tak się zmienili, ale nie spowodowały tego ani nowe szaty, ani uczesanie. Zadziwiającej przemianie uległy ich twarze, a zwłaszcza twarz króla. Cała szorstkość, spryt i zadziorność, znaczące kiedyś jego twarz typowego londyńskiego dorożkarza, ustąpiły miejsca odwadze i dobroci, które zresztą zawsze miał w sercu. Być może sprawiło to powietrze owego młodego świata, a może rozmowa z Aslanem albo jedno i drugie.

– Daję słowo – szepnął Pegaz do Poli – mój stary pan zmienił się prawie tak bardzo jak ja! Teraz jest prawdziwym panem!

– Masz rację, ale nie brzęcz mi tak do ucha, bo to okropnie łaskocze – odpowiedziała Pola.

– A teraz – rzekł Aslan – rozwiążcie splot, jaki zrobiliście z tych drzew, i zobaczymy, co tam znajdziemy.

Dopiero w tym momencie Digory spostrzegł, że gałęzie czterech drzew rosnących w pobliżu zostały tak splątane i powiązane cienkimi witkami, że utworzyły coś w rodzaju klatki. Dwa słonie użyły swych trąb, a kilku karłów siekier. Otworzyli niby klatkę, ukazując wszystkim trzy rzeczy: młode drzewko, jakby ze złota; drzewko jakby ze srebra; jakąś żałosną, strasznie ubłoconą postać siedzącą między drzewkami z pochyloną nisko głową.

– O rety! – szepnął Digory. – Wuj Andrzej!

Aby wyjaśnić tę scenę, musimy się trochę cofnąć w czasie. Jak pamiętacie, zwierzęta próbowały wuja Andrzeja zasadzić i podlać. Kiedy podlewanie przywróciło mu przytomność, stwierdził, że jest kompletnie przemoczony, wkopany aż po uda w ziemię (która szybko zamieniała się w błoto) i otoczony przez dzikie zwierzęta, których było więcej, niż mogło mu się przyśnić w całym dotychczasowym życiu. Trudno się dziwić, że zaczął na przemian wrzeszczeć i skomleć. Nie było to takie złe, bo w końcu przekonało wszystkich (nawet guźca), że jest istotą żywą. Wykopano go więc szybko (spodnie miał teraz naprawdę w opłakanym stanie). Gdy tylko poczuł, że ma swobodne nogi, próbował uciec, ale wystarczył jeden szybki ruch trąby słonia owijającej się wokół jego pasa, aby to udaremnić. Teraz wszyscy pomyśleli, że trzeba go gdzieś unieruchomić do czasu, gdy wróci Aslan i powie, co należy z nim zrobić. Otoczyli więc biednego wuja czymś w rodzaju klatki lub kojca. A potem zaczęli mu znosić wszystko, co było – według nich – jadalne.

Osioł zebrał wielki pęk ostu i wrzucił go do klatki, ale wuj Andrzej nawet na niego nie spojrzał. Wiewiórki bombardowały go orzechami, ale tylko zakrył głowę rękami i próbował się schować w najdalszym kącie. Kilka ptaków latało tu i tam, starając się pracowicie wrzucić mu przez szczeliny między gałęziami trochę dżdżownic. Szczególnie miły okazał się niedźwiedź. W ciągu popołudnia znalazł gniazdo leśnych pszczół i wyciągnął z niego plaster miodu. Zamiast go zjeść (na co miał wielką ochotę), przyniósł go wujowi Andrzejowi. Niestety, ten podarunek okazał się największą

pomyłką. Niedźwiedź wrzucił plaster do środka przez szczelinę w szczycie klatki, a ten trafił w głowę wuja (po powierzchni miękkiego plastra łaziło jeszcze sporo żywych pszczół). Miś, który sam nie miałby nic przeciwko temu, by mu wrzucano plastry miodu na głowę, nie mógł zrozumieć, dlaczego wuj Andrzej zachwiał się gwałtownie do tyłu i usiadł na ziemi. A prześladujący go okropny pech sprawił, że usiadł na pęku ostu.

„W każdym razie – jak powiedział guziec – sporo miodu dostało się do ust tej biednej istoty, więc nie będzie chociaż głodna i słaba". Wszyscy zdążyli już polubić to dziwne stworzenie i mieli nadzieję, że Aslan pozwoli im je zatrzymać. Najmądrzejsi byli już teraz prawie pewni, że przynajmniej niektóre dźwięki, jakie dobywały się z jego ust, mają jakieś znaczenie. Nazwali go Koniakiem, bo to słowo wydobywało się z niego najczęściej i było najbardziej zrozumiałe.

W końcu musieli go jednak zostawić samego na noc. Aslan był zajęty przez cały dzień pouczaniem nowego króla i nowej królowej oraz różnymi innymi ważnymi sprawami, nie mogli więc zawracać mu głowy „starym, biednym Koniakiem". Ostatecznie wuj zjadł na kolację sporo orzechów, gruszek, jabłek i bananów, które wrzucono mu do klatki, trudno byłoby jednak powiedzieć, że spędził przyjemną noc.

– Przyprowadźcie do mnie to stworzenie – rzekł Aslan.

Słoń pochwycił wuja Andrzeja w swą trąbę i postawił go delikatnie u stóp Lwa. Wuj był zbyt przerażony, by się poruszyć.

– Aslanie – poprosiła Pola – czy nie mógłbyś powiedzieć czegoś, żeby... żeby przestał się bać? A potem może byś mu powiedział coś takiego, po czym już nigdy nie chciałby tu wrócić...

– A myślisz, że on tego CHCE? – zapytał Aslan.

– No... w każdym razie może przysłać tu kogoś innego. Bardzo go zafrapowało to, że z żelaznej sztaby wyrosła latarnia, i myśli...

– To, co on myśli, jest czystą fantazją, moje dziecko. Ten świat wytryska życiem w ciągu tych pierwszych dni, ponieważ pieśń, jaką powołałem go do istnienia, wciąż jeszcze drży w powietrzu i dudni w ziemi. Ale nie będzie to trwało długo. Nie mogę jednak tego powiedzieć temu staremu grzesznikowi i nie mogę też powiedzieć mu czegoś, co by go podniosło na duchu, bo sam uczynił się niezdolnym do usłyszenia moich słów. Jeśli do niego przemówię, usłyszy tylko warczenie i ryki. Och, Synowie Adama, jak przemyślnie potraficie się bronić przed wszystkim, co może być dla was dobre! Ale jest jeden dar, który wciąż jest w stanie przyjąć.

Z pewnym smutkiem nachylił swój wielki łeb i tchnął w przerażoną twarz czarodzieja.

– Śpij – powiedział. – Śpij i przez kilka godzin bądź wolny od wszystkich nieszczęść, jakie sam na siebie ściągnąłeś.

Wuj Andrzej natychmiast przewrócił się na ziemię, zamknął oczy i zaczął oddychać spokojnie.

– Weźcie go stąd i połóżcie w jakimś zacisznym miejscu. No, a teraz wy, karły, pokażcie, co potraficie! Pokażcie mi, jak się robi korony dla waszego króla i królowej.

Wokół Złotego Drzewa natychmiast zaroiło się od karłów. Zanim doliczylibyście do dziesięciu, już zostało ogołocone z liści i kilku gałązek. Teraz dzieci mogły z całą pewnością stwierdzić, że Drzewo nie tylko wyglądało na złote, ale naprawdę było z czystego, miękkiego kruszcu. Oczywiście, wyrosło ze złotych dwuszylingówek, które wypadły z kieszeni wuja Andrzeja, gdy go próbowano posadzić do góry nogami; w taki sam sposób z półkoronówek wyrosło Srebrne Drzewo. Nie wiadomo skąd pojawił się stos suchego drewna, niewielkie kowadło, młoty, obcęgi, a nawet miechy. W następnej chwili (jak te karły kochały swoją pracę!) płonął już ogień, huczały miechy, złoto topiło się w tyglu, wesoło dźwięczały młoty. Dwa krety, którym

Aslan polecił już wcześniej pokopać trochę w ziemi (a to, rzecz jasna, lubiły robić najbardziej), wysypały karłom pod stopy stos drogich kamieni. Spod zręcznych palców tych małych kowali wyszły wkrótce dwie korony. Nie były to brzydkie, ciężkie insygnia, jakie noszą do dziś nieliczni europejscy monarchowie, lecz lekkie, cudownie ukształtowane diademy, których noszenie na pewno nie sprawiało przykrości. Korona króla wysadzana była rubinami, a korona królowej szmaragdami.

Kiedy korony ochłodzono w rzece, Aslan kazał Frankowi i Helenie uklęknąć przed sobą, a następnie włożył im je na głowy. A potem powiedział:

— Powstańcie, królu i królowo Narnii, ojcze i matko wielu królów, jacy będą panować nad Narnią, Wyspami i Archenlandią. Bądźcie sprawiedliwi, miłosierni i dzielni. Udzielam wam swojego błogosławieństwa.

A naokoło rozległy się huczne okrzyki, ujadanie, rżenie, trąbienie i łopotanie skrzydłami. Para królewska stała z bardzo poważnymi i nieco onieśmielonymi twarzami, a to lekkie zażenowanie tylko przydało im szlachetności. Digory wciąż wiwatował ochoczo wraz z innymi, gdy usłyszał obok siebie niski głos Aslana:

— Spójrzcie!

Wszyscy odwrócili głowy i w następnej chwili wszystkie usta zaczerpnęły głęboko powietrza, wydając jednocześnie okrzyki zdumienia i zachwytu. Opodal, piętrząc się wspaniale ponad ich głowami, rosło potężne Drzewo, którego z całą pewnością jeszcze przed chwilą w tym miejscu nie było. Musiało wyrosnąć cicho, lecz tak szybko jak flaga wciągana na maszt, podczas gdy wszyscy byli zajęci koronacją. Jego rozłożyste gałęzie nie rzucały cienia, lecz zdawały się promieniować własnym światłem, a wszędzie jarzyły się jak gwiazdy srebrne jabłka. Ale od tego widoku jeszcze bardziej zapierał dech w piersiach zapach, jaki Drzewo roztaczało wokół siebie. Przez długą chwilę nikt nie był w stanie myśleć o czymś innym.

— Synu Adama — rzekł Aslan — dobrze posiałeś. A wy, Narnijczycy, pamiętajcie: niech waszą pierwszą

i najważniejszą troską będzie zawsze strzeżenie tego Drzewa. Ono jest waszą tarczą. Czarownica, o której wam mówiłem, uciekła daleko na północ tego świata, gdzie będzie żyć, nabierając sił dzięki swej czarnej magii. Lecz nie wróci do Narnii, dopóki będzie kwitnąć to Drzewo. Nie ośmieli się zbliżyć choćby na sto mil do Drzewa, ponieważ jego zapach, który dla was jest samą radością, życiem i zdrowiem, dla niej jest grozą, rozpaczą i śmiercią.

Wszyscy spoglądali z wielką powagą na Drzewo, a Aslan odwrócił głowę gwałtownym ruchem (jego grzywa rozsiewała przy tym złote błyski) i popatrzył na dzieci, które szeptały i trącały się nawzajem.

– O co chodzi, moje dzieci? – zapytał.

– Och... Aslanie... – powiedział Digory i zrobił się czerwony jak rak. – Zapomniałem ci powiedzieć... Czarownica już zjadła jedno z tych jabłek, takie samo jak to, z którego wyrosło Drzewo.

Nie powiedział wszystkiego, co chciał powiedzieć, lecz Pola szybko dokończyła za niego (Digory zawsze bardziej od niej lękał się ośmieszenia):

– Więc pomyśleliśmy, Aslanie, że coś tu się nie zgadza, że zapach tego Drzewa nie może jej szkodzić...

– Dlaczego tak myślisz, Córko Ewy?

– No, bo przecież zjadła jedno jabłko.

– Moje dziecko, właśnie dlatego wszystkie pozostałe są dla niej czymś tak strasznym. To właśnie dzieje się ze wszystkimi, którzy zerwą i zjedzą te owoce w złym czasie i w zły sposób. Owoce są dobre, lecz ich napełniają odtąd wstrętem.

– Aha, teraz rozumiem – powiedziała Pola. – To znaczy, że skoro ona zjadła jabłko w zły sposób, to nie będzie na nią działało? Nie stanie się wiecznie młoda i w ogóle?

– Niestety – rzekł Aslan, wstrząsając grzywą. – Niestety, będzie działało. Wszystkie rzeczy zawsze działają zgodnie ze swoją naturą. Zaspokoiła pragnienie swego serca; zdobyła nadzwyczajną moc i nieśmiertelność jak bogini. Ale wieczne życie ze złym sercem jest wieczną niedolą i ona zaczyna już to rozumieć. Wszyscy otrzymują to, czego bardzo pragną, lecz nie zawsze przynosi im to radość i szczęście.

– Ja... ja byłem już bliski zjedzenia jednego jabłka, Aslanie – powiedział cicho Digory. – Czy gdybym...

– Tak, moje dziecko. Owoc zawsze działa – musi działać – lecz nie przynosi szczęścia temu, kto zerwie go z własnej woli. Gdyby jakikolwiek Narnijczyk nieproszony ukradł jabłko i posadził je tutaj dla ochrony Narnii, tak samo wyrosłoby drzewo chroniące Narnię. Lecz Narnia stałaby się w końcu jeszcze jednym potężnym i okrutnym imperium, jak Charn, a nie tym szczęśliwym, spokojnym krajem, jakim chcę ją uczynić. Ale Czarownica kusiła cię do jeszcze jednej rzeczy, mój synu, czyż nie?

– Tak, Aslanie. Namawiała mnie, żebym zabrał jedno jabłko do domu, dla mamy.

– Musisz więc zrozumieć, że to jabłko by ją uzdrowiło, lecz nie przyniosłoby to szczęścia ani tobie, ani jej. Nadszedłby taki dzień, w którym oboje chcielibyście cofnąć czas, gdyż stałoby się jasne, że lepiej byłoby umrzeć w tej chorobie.

Digory nic na to nie odpowiedział, bo poczuł, że go coś dławi w gardle, i starał się nie rozpłakać na głos. Pozbył się nadziei na uzdrowienie matki, lecz równocześnie zrozumiał, że Lew dobrze wie, co by się stało, i że mogą być rzeczy straszniejsze niż utrata kogoś, kogo się bardzo kocha. A Aslan znowu przemówił, tym razem bardzo cicho, prawie szeptem:

– To, o czym ci powiedziałem, moje dziecko, STAŁOBY SIĘ, gdyby jabłko zostało skradzione. Ale się nie stanie. To, które dam ci teraz, przyniesie szczęście. Tam, w twoim świecie, nie obdarzy nikogo nieśmiertelnością, ale uleczy. A więc idź. Idź i zerwij dla swojej matki jabłko z Drzewa.

Przez chwilę Digory nie rozumiał, o czym Lew mówi. Było tak, jakby cały świat stanął na głowie i na dodatek został wywrócony na lewą stronę. A potem szedł już, jak we śnie, ku Drzewu, a król i królowa oraz wszyscy Narnijczycy wiwatowali na jego cześć. Zerwał jabłko, schował je do kieszeni i wrócił do Aslana.

– Aslanie, czy możemy teraz wrócić do domu? – Zapomniał powiedzieć „dziękuję", ale był naprawdę głęboko wdzięczny i Aslan wiedział o tym.

ROZDZIAŁ 15

Koniec tej historii
i początek wszystkich innych

NIE MUSICIE UŻYWAĆ PIERŚCIENI, kiedy jestem z wami – rozległ się głos Aslana.

Dzieci rozglądały się dookoła, mrugając oczami. Bo oto znowu były w Lesie Między Światami. Wuj Andrzej leżał na trawie, wciąż pogrążony w głębokim śnie. Aslan stał między nimi.

– Chodźcie – powiedział Aslan. – Czas, byście powrócili do domu. Ale przedtem musicie zobaczyć dwie rzeczy. Jedna jest ostrzeżeniem, druga – poleceniem. Spójrzcie tutaj.

Popatrzyli i ujrzeli niewielkie zagłębienie w ziemi, porośnięte na dnie trawą, suche i nagrzane słońcem.

– Kiedy byliście tu ostatnim razem, w tym miejscu znajdowała się sadzawka, a gdy do niej wskoczyliście, znaleźliście się w świecie, w którym gasnące słońce oświetlało ruiny Charnu. Nie ma już tej sadzawki. Ten świat skończył się, przestał istnieć, tak jakby go nigdy nie było. Niech plemię Adama i Ewy potraktuje to jako ostrzeżenie.

– Tak, Aslanie – powiedziały cicho dzieci, a Pola dodała: – Ale my nie jesteśmy aż tak źli jak ten świat, prawda, Aslanie?

– Jeszcze nie, Córko Ewy. Jeszcze nie. Lecz jesteście na drodze do tego, by się stać jeszcze gorsi. Być może pewni nikczemni przedstawiciele waszej rasy odkryją tajemnicę tak straszną jak Żałosne Słowo i użyją jej, by zniszczyć wszystko, co żyje. A wkrótce, być może zanim jeszcze wy, moje dzieci, zestarzejecie się, nad wielkimi narodami w waszym świecie mogą zapanować tyrani, którzy nie będą się troszczyć o szczęście i sprawiedliwość dla swoich poddanych, podobnie jak Czarownica Jadis. Niech wasz świat strzeże się. To jest ostrzeżenie. A teraz – polecenie. Gdy tylko znajdziecie się w domu, zabierzcie wujowi magiczne pierścienie i zakopcie je gdzieś tak, żeby nikt już więcej nie mógł ich użyć.

Gdy Lew mówił te słowa, oboje patrzyli w jego twarz. I nagle (nigdy nie potrafili sobie przypomnieć dokładnie, jak to się stało) ta twarz zdała się jakimś bezbrzeżnym oceanem płynnego złota, w którym się unosili, a wokół nich, nad nimi i wewnątrz nich tryskała taka słodycz i moc, że czuli się tak, jakby nigdy przedtem nie byli naprawdę szczęśliwi, mądrzy, dobrzy, a nawet żywi i przebudzeni. Pamięć tej chwili pozostała w nich na zawsze. Odtąd kiedykolwiek poczuli smutek, lęk czy złość, wspomnienie tego niewysłowionego oceanu złotej dobroci i pewność, że wciąż jest tak blisko, jakby za rogiem lub za sąsiednimi drzwiami, przywracały im nadzieję.

W następnej chwili wszyscy troje (wuj Andrzej już przebudzony) wpadli na łeb na szyję w hałas, gorąco i zaduch Londynu. Znajdowali się przed domem pań-

stwa Ketterleyów. Nie było Czarownicy, konia i dorożkarza, ale prócz tego cała scena nie zmieniła się,
wszystko wyglądało tak jak w chwili, gdy ten świat
opuścili. Opodal stała latarnia, której brakowało jednego wspornika, pod nią leżał wrak dwukołowej dorożki, a naokoło wciąż kłębił się tłum. Wszyscy rozmawiali o tym, co się stało, a kilkoro ludzi klęczało przy
rannym policjancie, mówiąc: „Przychodzi do siebie"
lub „Jak się teraz czujesz, stary?" i „Za chwilę przyje-
dzie ambulans".

„O holender! – pomyślał Digory. – Wygląda na
to, że cała nasza przygoda wydarzyła się w ogóle poza
czasem!"

Większość ludzi rozglądała się żywo za królową
Jadis i koniem. Nikt nie zwracał uwagi na dzieci, bo
jakoś nikt nie zauważył ich zniknięcia i powrotu. Co
do wuja Andrzeja, to ze względu na stan jego odzienia
i warstwę miodu na twarzy nikt nie mógł go rozpoznać. Na szczęście drzwi domu były otwarte, bo stała
w nich służąca, gapiąc się na widowisko (cóż to był dla
niej za dzień!), więc dzieci szybko wepchnęły wuja do
środka, tak że nikt nie zdążył się nim zainteresować.

Wuj natychmiast popędził schodami na górę i dzieci przestraszyły się na dobre, że biegnie na poddasze,
by ukryć pozostałe magiczne pierścienie. Ale wcale nie
o to mu chodziło. W tej chwili myślał tylko o butelce
schowanej w szafie. W mgnieniu oka wpadł do swojej
sypialni i zamknął za sobą drzwi na klucz. Po niedłu-
gim czasie wyszedł, ubrany w szlafrok, i udał się do
łazienki.

– Czy możesz wykraść pozostałe pierścienie, Polu? – zapytał Digory. – Chciałbym od razu iść do mamy.

– Oczywiście. Zobaczymy się później – odpowiedziała Pola i zaraz pobiegła na poddasze.

Potem Digory odczekał chwilę, aby uspokoić oddech, i wszedł cicho do pokoju mamy. Leżała spokojnie, jak zawsze, wsparta na poduszkach, z wychudłą, bladą twarzą, na widok której chciało się od razu płakać. Digory wyjął Jabłko Życia z kieszeni.

I tak jak Czarownica Jadis wyglądała w naszym świecie inaczej niż w swoim, tak i owoc z zaczarowanego ogrodu wyglądał teraz inaczej. W sypialni było sporo różnych kolorowych rzeczy, takich jak wzorzysta kapa na łóżku, tapety, złote światło słońca, bladoniebieski kaftanik matki. Ale gdy tylko Digory wyjął Jabłko z kieszeni, wszystkie te rzeczy jakby w ogóle straciły barwę. Nawet światło słoneczne przygasło i wyblakło. Na suficie tańczyły dziwne odblaski. Tylko ono – tylko to promienne, cudowne Jabłko Młodości przyciągało spojrzenie: po prostu nie można było patrzeć na nic innego. A pachniało tak, jakby w pokoju otworzono okno wychodzące na Niebo.

– Och, jakie to cudowne – powiedziała matka.

– Zjesz je, mamusiu, dobrze?

– Nie wiem, co by na to powiedział doktor… Ale naprawdę, czuję, że mi nie zaszkodzi.

Digory obrał owoc, pokroił i dał jej po kawałku. Gdy tylko zjadła ostatni, uśmiechnęła się, po czym głowa opadła jej bezwładnie na poduszkę. Zasnęła! Bez żadnej z tych okropnych pigułek zapadła w praw-

dziwy, naturalny, łagodny sen, którego tak bardzo po-
trzebowała. Digory mógłby przysiąc, że jej twarz nieco się zmieniła. Nachylił się i pocałował ją delikatnie,
a potem zabrał ogryzek Jabłka i z bijącym sercem wy-
ślizgnął się z pokoju. Przez resztę dnia raz po raz tracił
nadzieję, widząc, jak bardzo zwykły i zupełnie „nieza-
czarowany" jest ten świat. Lecz gdy przypomniał sobie
twarz Aslana, nadzieja powracała.

Tego wieczoru zakopał ogryzek Jabłka w ogrodzie
na tyłach domu.

Następnego ranka, gdy doktor przyszedł odwiedzić
matkę, Digory przechylił się przez balustradę na piętrze, żeby posłuchać, co będzie mówił. Doktor wyszedł
z pokoju mamy i powiedział do ciotki Letycji:

– Pani Ketterley, to najbardziej niezwykły przypadek w całej mojej karierze medycznej. To jest... to graniczy z cudem! Nie chcę jeszcze niczego mówić temu małemu chłopcu: nie wolno nam rozbudzać fałszywej nadziei. Ale według mojej opinii... – i tu ściszył głos, tak że nic nie można było usłyszeć.

Po południu Digory wyszedł do ogrodu i zagwizdał w umówiony sposób, aby wyciągnąć Polę (poprzedniego dnia nie mogła wyjść).

– No i co? – zapytała, patrząc na niego ponad murem. – Chodzi mi, rzecz jasna, o twoją mamę.

– Myślę... myślę, że coś zaczyna się dziać. Ale wiesz, nie chcę jeszcze o tym mówić. A co z pierścieniami?

– Mam je wszystkie. Zobacz. Nie bój się, włożyłam rękawiczki, zakopiemy je.

– Tak, i to zaraz. Zrobiłem znak w miejscu, gdzie zakopałem wczoraj ogryzek Jabłka.

Pola przelazła przez mur i poszli razem do tego miejsca. Okazało się, że Digory nie musiał robić żadnego znaku. Coś już tutaj wyrosło. Nie rosło tak szybko jak w Narnii, gdzie się to po prostu widziało, ale i tak po upływie jednej doby wystawało już dobrze z ziemi. Przynieśli motykę i zakopali wszystkie magiczne pierścienie wokół tej nowej rośliny.

W tydzień później było już pewne, że mama powraca do zdrowia. Po dwu tygodniach mogła już siedzieć w ogrodzie. A po miesiącu cały dom stał się zupełnie innym domem. Ciotka Letycja zrobiła wszystko, czego chciała matka: ściągnięto zakurzone zasłony i otworzono okna, na stole pojawiły się świeże kwiaty i lepsze potrawy, nastrojono stare pianino i matka znów zaczęła śpiewać, a z dziećmi bawiła się z takim zapałem, że ciotka Letycja raz po raz mówiła: „Naprawdę, Mabel, jesteś największym dzieciakiem z całej waszej trójki!"

Kiedy rzeczy źle się mają, to zwykle mają się coraz gorzej przez jakiś czas, ale kiedy wreszcie zdarzy się coś dobrego, można się spodziewać, że sytuacja będzie się coraz bardziej poprawiać. Po blisko sześciu miesiącach tego cudownego życia nadszedł list z Indii od ojca, a w nim niezwykłe wiadomości. Zmarł stary dziadek stryjeczny, Kirke, co oznaczało, że ojciec stał się nagle bardzo bogaty. Zamierza przejść na emeryturę i wrócić na stałe do Anglii. A wielki, wspaniały dom na wsi, o którym Digory nieraz słyszał, lecz którego jeszcze nigdy nie widział, będzie teraz ich domem: wielki, stary dom ze zbrojami, stajniami, psiarniami, rzeką, parkiem, oranżeriami, cieplarniami do uprawy winorośli, lasem i górami. Tak więc Digory mógł być pewny, że odtąd będą żyli szczęśliwie. Ale myślę, że warto jeszcze powiedzieć o kilku sprawach.

Pola i Digory pozostali wielkimi przyjaciółmi na zawsze. Prawie co roku Pola przyjeżdżała do owego domu na wsi, aby spędzić z Digorym wakacje. Nauczyła się tu jeździć konno, pływać, doić krowy, piec ciasto i wspinać po górach.

Mieszkańcy Narnii cieszyli się spokojnym i radosnym życiem, którego nie zakłócała ani Czarownica, ani żaden inny wróg przez wiele stuleci. Król Frank i królowa Helena żyli sobie szczęśliwie ze swoimi dziećmi, a ich drugi syn został królem Archenlandii. Synowie pożenili się z nimfami, a córki powychodziły za leśnych i rzecznych bożków. Latarnia, którą zasadziła Czarownica (nie zdając sobie z tego sprawy), świeciła w dzień i w noc w narnijskiej puszczy, tak że to miejsce nazwano z czasem Latarnianym Pustkowiem. I kiedy wiele, wiele lat później inne dziecko z naszego świata dostało się do Narnii pewnej śnieżnej nocy, latarnia ta wciąż jeszcze się paliła. A przygoda ta miała pewien związek z tym, o czym wam właśnie opowiedziałem.

A było tak. Drzewo, które wyrosło z Jabłka w ogrodzie na tyłach londyńskiego domu, po latach stało się wielką jabłonią. Czerpiąc soki z gleby naszego świata, z dala od dźwięku głosu Aslana i od młodego powietrza Narnii, nie rodziło już owoców, które mogłyby przywrócić komuś zdrowie, tak jak to się stało z matką Digory'ego. Dawało jednak jabłka piękniejsze niż jakikolwiek gatunek jabłoni w całej Anglii i z całą pewnością po ich zjedzeniu człowiek czuł się o wiele lepiej. Ale wewnątrz, w swoich żywotnych sokach, drzewo nigdy nie zapomniało (jeśli tak można powiedzieć) tego innego Drzewa z Narnii, z którego się narodziło. Czasami poruszało się w tajemniczy sposób, choć nie było wiatru; myślę, że w takich chwilach Narnię nawiedzały wichury, i angielskie drzewo drżało, gdyż w tym samym czasie narnijska zaczarowana Jabłoń kołysała się pod naporem silnej, południowo-zachodniej burzy.

A jednak, jak się później okazało, w angielskim drzewie wciąż drzemały jakieś czary. Kiedy Digory był już dojrzałym mężczyzną (a stał się w tym czasie słynnym uczonym, profesorem i wielkim podróżnikiem), stary dom państwa Ketterleyów należał do niego. Przez całą południową Anglię przeszła wówczas wielka burza, która zwaliła ową jabłoń. Digory nie mógł znieść, by drzewo po prostu porąbano na opał, kazał więc pociąć je na deski i zrobić z niego szafę, którą zawiózł do swojego wielkiego domu na wsi. I chociaż on sam nie odkrył magicznych właściwości tej szafy, uczynił to ktoś inny. Tak się zaczęły wszystkie przejścia z naszego świata do Narnii i z powrotem, o których mogliście już przeczytać w innych moich książkach.

Kiedy Digory przeniósł się ze swoją rodziną do tego wielkiego domu na wsi, zabrał ze sobą wuja Andrzeja, ponieważ ojciec powiedział: „Musimy go pilnować, żeby mu znowu nie przyszły do głowy jakieś diabelskie figle; nie byłoby też sprawiedliwe, by biedna Letycja miała go wciąż na swojej głowie". Wuj Andrzej nie próbował zresztą już nigdy bawić się magią. Dostał nauczkę, a przy końcu życia stał się nawet milszy i mniej samolubny. Zawsze jednak lubił zebrać gości w pokoju bilardowym i opowiadać im o tajemniczej damie, królowej z dalekiego kraju, z którą jeździł po Londynie dorożką. „Miała szatański charakter – mówił. – Ale była diabelnie piękną kobietą, mój panie, diabelnie piękną kobietą, ot co".

Spis rozdziałów